VERBUM ⊞ NARRATIVA

NÁUFRAGO DEL TIEMPO

Serie **Biblioteca Cubana**

Dirigida por: Pío E. Serrano

Serie dedicada a difundir lo mejor de la literatura cubana clásica y contemporánea. Agrupa temas y abordajes relativos a las letras cubanas, con títulos de diferentes géneros y autores de dentro y fuera de la Isla, en un diálogo cultural útil y generador de intercambios. Entre los autores más destacados de la Serie, figuran: José Martí, José María Heredia, Julián del Casal, Gertrudis Gómez de Avellaneda, Cirilo Villaverde, Juana Borrero, Ramón Meza, Jorge Mañach, Alejo Carpentier, Pablo de la Torriente, José María Chacón y Calvo, Nivaria Tejera, Guillermo Cabrera Infante, Leonardo Padura, Abilio Estévez, Pedro Juan Gutiérrez, José Lorenzo Fuentes, Dulce María Loynaz, Roberto González Echevarría, Miguel Barnet, Miguel del Carrión, José Olivio Jiménez, Manuel Díaz Martínez, Francisco Morán, Carlos Montenegro, Lino Novás Calvo, Severo Sarduy, Eugenio Suárez Galbán, José Prats Sariol, Félix Luis Viera, Rafael Alcides, Antonio José Ponte, Reinaldo Montero, Luis Manuel García, Julio Travieso, José Kozer, Lydia Cabrera, Eliseo Diego, Gastón Baquero, Lina de Feria, Virgilio López Lemus, Ramón Fernández Larrea, Enrique Pérez Díaz, José Triana, Rogelio Riverón, Virgilio Piñera, Juana Rosa Pita, Zoé Valdés, José Ángel Buesa, Alfonso Hernández-Catá, Roberto Fernández Retamar, Nicolás Guillén, entre otros.

XAVIER CARBONELL

NÁUFRAGO
DEL TIEMPO

© Xavier Carbonell, 2023
Imagen de portada: *El náufrago*, Asensio Julià Alvarrachi, 1815
© Editorial Verbum, S. L., 2023

Tr.ª Sierra de Gata, 5
La Poveda (Arganda del Rey)
28500 - Madrid
Teléf.: (+34) 910 46 54 33
e-mail: info@editorialverbum.es
https://editorialverbum.es

I.S.B.N.: 978-84-1337-888-6
Depósito Legal: M-29088-2022

Diseño de colección: Origen Gráfico, S. L.
Preimpresión: Adrians Esquivel Romero
Printed in Spain / Impreso en España

Este libro ha sido
impreso con papel
ecológico procedente
de bosques sostenibles.

ÍNDICE

Para Elena, un regalo hecho de tiempo y de palabras.

Y para los muertos de la isla:
les devuelvo la memoria que me entregaron.

Me habías arrojado en lo más hondo, en el corazón del mar...
Me envolvían las aguas hasta el alma, me cercaba el abismo,
un alga se enredaba a mi cabeza. A las raíces de los montes descendí,
a un país que echó sus cerrojos tras de mí para siempre.

JONÁS, 2, 4-7

Las tierras se alzan y se hunden
como si el tiempo del universo las barajara.

ANTONIO BENÍTEZ ROJO

Prólogo

La breve novela que el lector tiene en sus manos es resultado de un vuelo imaginativo de elevada originalidad como ha habido pocos en la literatura cubana, no ya la reciente sino la de todos los tiempos. Tal vez esto sea mucho decir, pero quiero preparar a los lectores para una sorpresa tan agradable como insospechada, un verdadero placer estético. Nada de lo que se ha venido publicando recientemente entre escritores cubanos, o latinoamericanos, nos predispone para la deslumbrante novedad de *Náufrago del tiempo*, obra de un escritor joven que apenas se está dando a conocer.

Tiene su trama. La del náufrago, innombrado, que sufre la catástrofe de la inmersión involuntaria que le da inicio, tras una guerra cuyos detalles no sabemos, y que llega a una playa en un Cabo Lagarto donde es rescatado por un viejo veguero. En la casa de éste, cundida por el aroma del tabaco, el náufrago se refocila con dos nietas suyas, y luego con una mulata que se le junta, hasta que un fuego quema la casa y al veguero, que se convierte en un montón de cenizas que meten en un saco. Reducido por segunda vez a nada, desnudo, alcanza un pueblo, que vive en el terror de la llegada inminente de un ciclón. Descubre un hotel en ruinas, que había sido monasterio, donde vive con un gato que le señala las intimidades del edificio, particularmente un jardín precioso y aislado, especie de edén, donde vive un personaje fabuloso, anciano profético que perece en el ciclón que derrumba la mansión, aunque decía ser de piedra. El náufrago emprende entonces un viaje hacia Oriente, dice que para enterrar a un amigo, pero sobre todo para reunirse con su padre, pescador a quien había dejado en una pequeña isla, desde la cual sacaba cosas fabulosas del mar con sus pitas. El náufrago pasa por diversas aventuras en su periplo; en una tabaquería (el tabaco es un *leitmotiv* importante) conoce a una enigmática mujer con la que tiene una intensa relación sexual. Ambos sobreviven una revolución para derrocar a un tirano de quien no sabemos nada. Apenas se salva de la violencia y por fin llega a Oriente, a una ciudad bajo el control de un gobernador inescrutable que lo conduce a una cueva enorme que se supone es el Infierno. Las paredes de la cueva están adornadas de pinturas rupestres indígenas con tema diabólico, revelando que los aborígenes también tenían un mito infernal. Lo que está ocurriendo a su alrededor, sin embargo, es una regresión histórica; los blancos están cargando todo en galeones para retornar a Europa, o de donde hayan venido, con toda su cultura, dejando la zona como estaba antes de la Conquista. Los indios volverán a su estado "natural." El náufrago encuentra a su padre en la consabida isla y éste le cuenta sus vidas y el final que se les avecina, una sombra negra, la muerte, que al fin lo envuelve y se los lleva, con lo que se cierra la narración. Aún en este sumario puede verse que el relato es como una fábula, más que una novela propiamente dicha.

El arco de la historia es circular: el náufrago busca a su padre, su origen, y lo encuentra, pero a la vez a la muerte. Su viaje hacia el Oriente es hacia el alba, pero también el ocaso. El tiempo en que ha naufragado es cósmico. Se mueve entre figuras y acontecimientos sin especificidad: abstractos, simbólicos y casi alegóricos. Él mismo no tiene nombre, se lo va a revelar su padre al final, pero mueren antes. El innombrado náufrago recuerda al protagonista de las *Soledades* de Góngora, ese "sobreausente," porque sabemos poco de él, excepto que tampoco persigue ese conocimiento. El veguero se convierte en ceniza, la mujer cuyo nombre sí se da —Berenice— carece de especificidad; tampoco la tiene el gobernador al final, ni el padre mismo, cuyo nombre nunca llegamos a conocer. Como náufrago, el protagonista es producto de un accidente, es decir, que algo falta de derivación, que inmerso en el agua, en la cual habrá de perder cualquier identidad que la memoria le proporcionaría. El agua es como la memoria. Surgir del naufragio es como un nacimiento, un emerger del líquido amniótico desprovisto de pasado; su vida será una serie de inauguraciones, y así son los acontecimientos que le ocurren, por eso traen un aura de novedad y sorpresa que causan placer al lector.

El tiempo en que naufraga este peregrino es cósmico como es su periplo de muerte a muerte, pasando por uno o varios nacimientos. La alusión a Dante en las escenas infernales cuando termina la acción sella este tiempo universal que sólo tiene extensión literaria en semejante clásico, o en la regresión temporal que es la más clara referencia a Carpentier ("Viaje a la semilla"), aparte del título que recuerda a *Guerra del tiempo*. Este relato podría figurar en ese libro fundacional, es tan insólito como sus mejores historias. Igual que Carpentier, Carbonell roza lo alegórico, pero sin caer del todo en él; lo salvan los elementos específicos de la narración, que le dan un tono realista que de pronto se disipa cuando aparecen las sorpresas de lo nuevo, como el viejo pétreo en el jardín del hotel. La escena de ese anciano profético tiene un halo maravilloso, pero más allá de lo "real maravilloso" o de lo "maravilloso americano." Es una maravilla sin posible comparación o paralelo. La falta de ubicación precisa contribuye a lo cósmico, y éste a la ficción.

Hay elementos que aluden a Cuba. Por ejemplo, Cabo Lagarto y "caimán" recuerdan la identificación de la forma a la isla de Cuba con esos animales. La zona tabacalera en que recala el protagonista tiene mucho de Pinar del Río, de Vuelta Abajo, donde se cultiva el mejor tabaco del mundo. La revolución en que se ve envuelto parece ser alusión a la cubana, aunque también pueda recordar las Guerras de Independencia. Lo mismo con la región llamada Oriente, que tiene reminiscencias de la provincia cubana del mismo nombre, en parte por la presencia de una virgen, que recuerda a la de La Caridad, que es de esa región. El viaje al Oriente es como una volver al revés la historia de Cuba, donde los principales movimientos históricos —taínos, españoles, guerras de independencia, Revolución— se desplazan de Oriente a Occidente (la Invasión de Antonio Maceo), que es lo que Severo Sarduy explota en su *De donde son los cantantes*. Esta es como una deliberada subversión. Hay cubanismos en el texto, como "mandados" por víveres, o expresiones no ya populares sino chucheras, como "bacán" o "bárbaro" para designar algo notable. Pero, en general, *Naufrago del tiempo* tiene muy poco de costumbrismo; lo cubano es como un aura.

Hay un entramado simbólico que le da al texto una profunda dimensión poética y donde se pudiera alojar lo más intrínsecamente cubano. El simbolismo gira en torno al tabaco, que predomina en las primeras aventuras del náufrago en Cabo Lagarto. El tabaco, su olor, su sabor, su humo, los rituales del fumar aparecen asociados al sexo, a lo erótico, y por supuesto (sin inanidades médicas) a la muerte —es la eterna dualidad placer-muerte. Se equipara el tabaco a la sensación de la piel de las mujeres, y al regodeo de su humo, que impregna el aire que respiramos, y desde luego, se vincula a las varias artes que la hoja ha generado en Cuba. Todo esto, por supuesto, no puede dejar de verse sino en relación al *Contrapunteo del tabaco y del azúcar* de Fernando Ortiz, ese imprescindible libro donde mejor y más minuciosamente se estudian las proyecciones artísticas de ese vicio en Cuba. Digo "vicio" a propósito porque el tabaco constituye una licencia letal que los taínos le concedieron a la humanidad, como para vengarse por la Conquista, y que se ha convertido en parte esencial de lo cubano a todos los niveles, aún para aquellos de nosotros que (ya) no fumamos.

Xavier Carbonell es un joven escritor cubano nacido en 1995 en Camajuaní, pueblo de mediano tamaño al norte de la antigua provincia de Las Villas, ahora Villa Clara. Se encuentra a apenas 30 kilómetros de Santa Clara, la capital de provincia, en cuya universidad estudió filología. Luego de graduarse trabajó en una editorial y una revista literaria, y ganó un premio local con su primera novela, *El libro de mis muertos*. Se afilió a Signis, la Asociación Católica Mundial para la Comunicación, que lo envió primero al Ecuador y luego a la India, donde perfeccionó su inglés, que había estudiado en Cuba. De regreso a la Isla, presentó la novela *El final del juego*, que había escrito en la Universidad, al Premio Italo Calvino otorgado por la Unión Nacional de Escritores y Artistas de Cuba. De ganar, la novela sería publicada en Cuba. Al no recibir respuesta por un año, envió el manuscrito a España para postular por el Premio Ciudad de Salamanca. Recibió noticia el mismo día que había recibido ambos premios. Para enojo de la Uneac, optó por el español, que lo llevó con su esposa a Salamanca, donde ahora residen de forma permanente —tienen la esperanza. *El final del juego* es también una excelente novela, que yo he reseñado en *Rialta* (en abril de 2022).

Carbonell es un escritor de provincias, como tantos otros cubanos (Guillén, Sarduy, Cabrera Infante), pero que no tiene nada de provinciano. Ha surgido al margen de las insidiosas instituciones cubanas, exigentes de fidelidad política, y distante de la propaganda que sin duda le inculcaron durante todos sus años de estudio, desde la primaria hasta la Universidad. Tampoco parece escribir con las obsesiones políticas del exilio, aunque su distanciamiento del régimen es patente, por lo que su literatura parece ser un inicio marcado por un independentismo que augura más futuros éxitos.

ROBERTO GONZÁLEZ ECHEVARRÍA
Yale University

—1—

Naufragio en Cabo Lagarto

Cuando me encontraron parecía una isla a la deriva. Una masa de arena, bejucos y musgo donde los cangrejos empezaban a cavar sus túneles. Una cosa que flota en el mar, con los ojos cerrados y la boca llena de agua. Una cosa que espera, mientras los peces se afilan los dientes contra unos dedos y una piel que ya están secos, tostados por el sol.

Como les dio miedo tocarme, que era lo mismo que tocar a un muerto, me amarraron una pita de pescador al pulgar, y empezaron a arrastrarme hasta que llegué a la costa.

Sin abrir los ojos sentí que me limpiaban, que me quitaban de arriba el peso de los cangrejos, las montañas de algas, la sal y los insectos. Dos dedos firmes me abrieron la boca y probé de nuevo agua dulce, tan fría que me dolió beberla.

Al principio, cuando estaba ciego, venían unas manos blandas y de mujer que me desenredaban el cuerpo, curaban las heridas de la espalda, me enderezaban los huesos y hacían que la carne volviera a crecer y a estar caliente. Eran siempre las mismas manos y yo trataba de alargar mis brazos y tocarlas pero no podía moverme. Pronto fui capaz de comer, aunque tenía el estómago enfermo, como si estuviera lleno de polvo o se le hubiera olvidado lo que es el alimento. Ella sabía cómo revivir a los muertos y, al cabo de una semana de que me encontraran tirado en el mar, aprendí a comer como siempre.

Todavía no había recuperado el lenguaje, y a lo mejor hasta se me olvidaban los nombres de las cosas; pero a pesar de eso, sabía lo que iba pasando.

Aunque fuera difícil precisar dónde estaba, podía tocar el tiempo, estancado delante de mí como un río fangoso y lento, que yo trataba de romper con mis dedos. El tiempo era un enemigo doloroso hasta que llegaba ella y afincaba la cintura sobre mi cuerpo, me apretaba con unos muslos que yo recorría hasta las nalgas, unas nalgas que me arropaban como el calor y me aliviaban de la mordedura de los mosquitos. Así volvían las manos, los abrazos, besos de unos labios que yo imaginaba grandes, carnosos, llenos de una vida que se mezclaba conmigo y con mi sudor. Ella se aferraba a mí como a un objeto que se le hubiera perdido cuando niña, y me hacía dormirme entre sus tetas, tibias y rotundas, parecidas a un aguacero en el trópico.

Pero todo esto pasaba sin yo verla, y sin saber con qué palabras tenía que hablarle. Dormido como estaba en mi oscuridad.

Abrí los ojos y vi el barandal de una glorieta blanca, de madera, y a mi alrededor un campo sembrado de tabaco. A veces caía sobre la plantación un aguacero fino, oloroso, que me sacaba un poco del sueño, lo suficiente para ver a un viejo veguero que fumaba su puro en un sillón, al centro de la glorieta.

El olor de las hojas era potente y me traía recuerdos. Mucho camino y mucho polvo, gente cuyo nombre se borró, las mujeres que probé, el sabor mismo del tabaco, que creo que me gustaba. A lo mejor el mar desbarató esas cosas dentro de mí.

Ella nunca aparecía de día, y menos en aquel lugar.

Por la noche, sin embargo, venía sobre mí como un huracán en la oscuridad, me mordía, su lengua me tocaba, su saliva me quitaba la sed. A la salida del sol, no sé por medio de quién, me dejaban otra vez en la glorieta, tumbado en una hamaca, naufragando en mi propia memoria.

Todavía no estaba listo para hablar y el viejo parecía entenderlo. Lo único que hacía era mirarme fijo con sus pupilas color tabaco, sin dejar de fumar.

¿Cómo puedo estar en este lugar si me recogieron en la costa? No hay sal en el aire, sino un viento agradable, dulzón. ¿Por qué no recuerdo cómo fue ese viaje, del mar al campo? ¿Quién me trajo? ¿El viejo? ¿La mujer? ¿Quién más vive aquí? Pensar en esto me fatiga, me trae la peste de las algas y las escamas que se acumulaban en los agujeros de mi cuerpo. Entonces comienzo a toser, me duele el cráneo y tengo que entrar de nuevo a la tiniebla.

Entre las cosas que me confunden, ninguna es mayor que hacer el amor con esta mujer. Llega con la luz apagada, entra en la cama que ella misma ha preparado, corre las sábanas y lo deja todo tibio con su aliento. Mis dedos la buscan, acarician espacios conocidos, palpan un rostro que se mueve en silencio. La diferencia es sutil, y quizás el hombre habituado a cambiar de mujer no lo note, pero una noche me acuesto con una mujer de piel fresca, que no tiene, como la primera, senos en los cuales quedarse dormido, sino unos pezones afilados, que se estrechan contra mi piel como puntas de lanza. La madrugada siguiente, las nalgas se vuelven más tersas, brincan con elasticidad sobre mis piernas, se mueven con un ritmo distinto. Y en ocasiones viene una hembra hecha de fuego, que me zarandea y arroja las sábanas para olvidarse del calor. Luego se pone una almohada en la boca para que no se escuchen sus gritos, nos tritura a los dos dentro del placer y nunca se duerme a mi lado. A todas (¿o es una sola que muda de cuerpo?) les huele el pelo a tabaco, la piel de todas sabe a tabaco, sus manos, su sudor y su saliva llevan el perfume de las hojas secas. Con desespero, mis dedos quieren trazar un mapa de la mujer. Pero ella también se me despedaza todas las noches en el recuerdo.

Incluso cuando pude caminar seguí sin decir una palabra. La verdad es que estuve callado más tiempo de la cuenta, porque cada día empezaba a aparecer gente nueva, trabajadores de cuya presencia en la vega no me había percatado. En mi cabeza volvían a juntarse muchas cosas y pensar ya no costaba tanto. No conseguía reconocer a la mujer, que quizás era una, o más de una, de las que recogían tabaco bajo el sol.

Me parecía verla en cada una de las jóvenes que merodeaban alrededor de la glorieta, y como imaginé que me la estaban escondiendo, lo único que tenía dentro de mi cabeza era la desconfianza: en el viejo, que tampoco hablaba; en la mujer, que no me enseñaba su rostro verdadero; en los peones de la finca, vigorosos y sin tanto cansancio como el que yo tenía a la hora de batallar con ella.

Y la sospecha, como aprendí (o recordé) después, es un cuchillo que conviene tener cerca del brazo.

El viejo comenzó a llevarme tabacos a la hamaca. Los decapitaba él mismo, como si le doliera. Después lo prendía con una rama y me lo ofrecía listo para gastarlo. Fumamos juntos muchas veces. Él llevaba una guayabera pulcra y cada uno de sus movimientos provenía de una fuerza mayor, que le daba energía para aspirar y liberar el humo como quien suelta el alma.

Una tarde, en la que yo me sentía nuevamente robusto y con ganas de caminar, regresamos a la casa a pie. Era una casona pintada de azul y blanco, muy cerca de la vega, y era la primera vez que la veía desde que naufragué. Ya tenían lista la cena y no fui a comer, como era mi costumbre, al cuarto donde el viejo me hospedaba, sino que me senté a la mesa con él. Entonces entró al comedor una mujer joven, trigueña y recién bañada, seguida por otra unos años menor, con el pelo suelto y un vestido corto. La hembra a la que le hacía el amor, la mujer que mi piel conocía como a mí mismo, estaba delante de mí.

¿Pero cuál era de las dos?

—Estas son mis nietas —dijo el viejo—. Ellas son las que te han curado.

Yo asentí con la cabeza y sonreí, pero tampoco hablé en ese momento.

Esperé a que se hiciera de noche, porque sabía que una de las dos iba a venir. Me quité la ropa, me acosté y me quedé dormido. Lo que me despertó fue la mano de ella tocando mi pecho, descendiendo con rumbo firme hasta mi sexo para jugar con él. Me levanté rápidamente y alargué el brazo hasta la lámpara de la mesita.

—¡No! —me aguantó ella—. ¿Por qué vas a hacer eso, chico? ¿No nos vimos ya en la comida?

Con suavidad aparté la mano y ella pareció resignarse.

—Qué caprichoso eres.

Pero volvió a aferrarme, con todo el cuerpo.

—Te dejo encender la luz con una condición: que me digas algo.

Le di un beso en los senos, que no eran los puntiagudos de algunas noches sino las tetas grandes, apetitosas como mangos, de la primera vez que le hice el amor. Con la habilidad de una serpiente, su mano encontró lo que buscaba y empezó a estrecharlo más y más.

—Dale, chico. Dime algo por fin.

Encendí la luz y le miré la cara: era la menor de las dos nietas del viejo, pequeña y sabrosa, con el pelo negro suelto como en la comida.

—¿Dónde es que estoy?

—Estás en Cabo Lagarto —respondió ella satisfecha y le dio un apretón duro a mi sexo—: en el rabo mismo del caimán.

El viejo me enseñó un cuarto de la casa que él llama la Sala de los Artefactos. Está lleno de astrolabios, brújulas y telescopios. Hay un pequeño estante con libros de astronomía y navegación. Un mapa antiguo de la isla cuelga de la pared, con los cuatro viajes de Colón marcados por todo el Caribe.

Al viejo le gusta mirar las estrellas y fumar.

Por la noche abre los ventanales del cuarto y se pone a observar el cielo, cuando hay silencio y el olor de la vega le llega de lejos. Él habla de muchas cosas. Habanos, instrumentos, constelaciones, la influencia de la luna en las mareas, pero yo solo puedo pensar en el cuerpo de la mujer y como cada noche me atraganto con sus palabras.

Sus manos sacan de la guayabera una llavecita de oro, que abre un humidor grande, de cedro oscurecido por el barniz. A través del cristal veo los tabacos del viejo, algunos de hoja clara y castaña, otros casi negros, bien maduros. Ninguno tiene anillo.

—Mis padres se casaron aquí, en Cabo Lagarto. Eran dueños de esto antes de la guerra —las yemas del viejo recorren la vena de un puro liso, como la piel de la nieta—. Todavía se hace aquí el mejor tabaco de Vueltabajo: pruébalo para que veas.

El chispazo de candela sobre el puro me recuerda a la mujer, al fuego de su sexo, y no me deja escuchar lo que habla el viejo.

—Abuelo trabajaba aquí de niño —dice ella, mientras fuma conmigo entre las sábanas—, conoció la vida dura del veguero y eso le dolió mucho.

El viejo enciende un tabaco para sí y me invita a sentarme en un sillón.

—Mi padre era un tipo noble pero difícil, nos llevó muy recio. También le gustaba fumar y comer bueno. Le importaba un carajo si los guajiros estaban pasando hambre o si les hacía falta algo. Él les pagaba por trabajo hecho y si te he visto no me acuerdo.

—¿No se le ponen los anillos? —le pregunto.

La muchacha se acurruca entre mis piernas. Su sudor, el humo que sale de su boca, son míos también.

—Él se manda a hacer ruedas especiales para fumarlas en la casa. A esas no les ponen marcas, porque a él no le gusta. Lo demás tiene que entregarlo. Pero mi abuelo es importante; a él no pueden estarlo jodiendo tanto.

—Me alcé, como se decía en aquel momento. Me fui para Oriente, porque en esta isla hasta la política es un problema familiar, como todo. Si alguien tiene dificultades con su padre, debe comenzar una guerra contra el presidente.

—Hay fotos por ahí, de abuelo trazando mapas de la serranía. Lo cogieron de cartógrafo porque había estudiado eso en la universidad. Ahí fue donde se reunió con un grupo de muchachos, todos de familias ricas, para marcharse a la rebelión.

El viejo me enseña una lámina descolorida: cinco muchachos de barbas hasta los tobillos, con sus rifles, sonriendo en la manigua.

—Nadie entiende el trabajo que costó quemarlo todo. De esta gente que tú ves aquí nada más quedo yo. Los demás se murieron antes de que la guerra acabara.

—Luego le dieron permiso para volver acá, a quitarle la tierra a su padre y cogérsela él. No se le puede tocar ese tema, porque el hombre se murió poco después, y no volvieron a hablar jamás.

Las hebras de ceniza caen sobre la guayabera.

—No quise saber más de la milicia, a pesar de que mis compañeros me querían allá, en las cátedras del gobierno. Viajé por el mundo como canciller y mediador entre los grandes poderes. Cuando volví, me pusieron a dirigir a los tabaqueros de esta zona. Fui yo el que echó adelante a Cabo Lagarto y a todas las vegas de por aquí.

El viejo hace una pausa y mira directamente a mis pupilas.

—Hace treinta o cuarenta años, por eso que hiciste, el destino era la cárcel. Nadie tiene por qué escapar y las aguas que nos rodean están malditas, traen muerte y hundimiento. Pero aquí no tienes nada que temer. La vejez me apacigua, el tabaco me alivia. No seré yo quien te coloque las cadenas.

Se me eriza el espinazo cuando hablan así de mi naufragio. Ella se da cuenta y me acaricia el pelo.

—No le tengas miedo a mi abuelo. Cuando te vio tirado en la costa le dijo a su gente que te trajera. Por eso te cuidamos. No hablen de eso y ya, que es mejor. Olvídate de lo que pasó en el mar y piensa en mí.

Ella comete entonces un sacrilegio contra el rito del tabaco: sofoca el cabo como si fuera un cigarro y lo arroja fuera de la ventana, hacia el campo.

—Es un viejo triste. Trabaja, se pasa el día metido entre las escuadras y los mapas, pero nunca ha sido feliz. A veces pienso que no lo conocemos bien, que le ha caído encima una maldición muy poderosa y unas ojeras como de muerto.

—Incluso yo —dice él— tengo preparada la tumba. Un día me la enseñaron. Me llevaron hasta allá, en la parte del cementerio de Oriente prevista para los héroes, y ya tengo un nicho preparado al pie de una columna.

Nuestros tabacos se han consumido completamente. Lo único que reposa en el cenicero inmenso, de vidrio, es un montículo de limaduras blancas.

El viejo continúa hablando, o más bien susurrando, contemplando su muerte desde lejos. Pero ya no lo escucho, porque ella ha empezado a morderme el cuerpo, la boca y a machacarme con sus besos en la penumbra.

A veces me pongo a nadar en mi memoria, cuando las volutas de humo flotan sobre las nalgas de la muchacha y ella está en silencio. El humo es gris y pesado, y se enreda en su pelo antes de perderse hacia la noche. Entonces me acuerdo de que tengo un padre, viejo y duro como una piedra, y que ese padre se parece al hombre que me hospeda en esta casa.

El viejo de mis recuerdos no tiene rostro ni nombre. Mi madre, que en paz descanse, decía que era un pescador de Oriente. Y yo de niño me lo trataba de imaginar en una bahía negra, profunda, donde el viejo pescaba de noche con una pita tan larga que sacaba monstruos, islas, montañas del fondo del mar.

Todo esto lo soñaba de niño, y quería ver a mi padre como lo veo ahora en la cara del viejo, masticando su tabaco y rodeado por esos miles de mundos que yo pensaba que iba extrayendo del océano.

Mi madre, como nací sin padre, justificaba con eso el que yo fuera inquieto y trashumante. Iba de aquí para allá, sin sosiego, sin cansancio, con los pies fuertes como trozos de hierro.

Me desperté anoche sudando, porque el viejo de mis sueños había cogido un pez grande y muerto, con escamas de plata, y lo halaba y lo ponía en la costa. Pero yo me fijaba bien y no había ningún pescado sino el cuerpo de un hombre y ese hombre era yo.

Por fin se aclaró el misterio de la mujer, pero el secreto lo destruyó todo, como un ciclón cuando muerde los bordes de la isla. Hay una mulata que limpia las habitaciones de la casa. Va por todos lados empuñando un sacudidor, con la escoba, con agua, a quitarle el polvo a las cosas. No voy a decir que no la he seguido con la mirada, mojada por su trabajo, provocándola a ver si cae, como quien persigue a su presa.

La mulata es dueña de un cuerpo portentoso, que tienta a todos los hombres cuando la ven recoger tabaco en la vega.

Una tarde, después de terminar su trabajo, estábamos los dos en la Sala de los Artefactos. Yo estaba examinando un pequeño planetario de bronce mientras ella frotaba el cristal que protegía el gran mapa.

No me besó, no dijo nada más, sencillamente me tomó de la mano y me sacó de la casa, al campo. Los trabajadores ya se habían marchado y el viejo dormía por cierto malestar que le había dado después de almorzar.

Entramos los dos a una casa de tabaco y apenas cerró ella la cortina le di un apretón fuerte a sus nalgas, inabarcables, redondas como el mundo. Entonces me di cuenta de que yo también había probado esas nalgas, y esa boca que parecía que me iba a tragar, pero cuando empecé a desvestir a la mulata ella me dijo espérate un momento, mira.

Y yo miré, y vi a las dos nietas del viejo, desnudas y muertas de la risa, esperándome entre las hojas de tabaco.

Allí estaban todos los cuerpos en los que me había sumergido cada noche. Las tetas firmes, las inmensas y las puntiagudas, el cuerpo breve, el elástico, la piel y la saliva con sabor a tabaco, a caña de azúcar, las manos que traían a mi cuerpo polvo y vida de muchos lugares distintos, la voz, las voces, las maneras en que, con una sabiduría que parecía provenir de muchos siglos, una mujer podía tocar a un hombre y ofrecerle, por un instante, la agonía de vivir y morir al mismo tiempo.

Cada hembra, posesa de una euforia que solo proporciona el olor demoniaco del tabaco que aún no se ha torcido, tramó en mí lo que quiso. Me destruyeron y me resucitaron muchas veces, en la oscuridad de la casa de hojas, hasta que se quedaron las tres dormidas, enroscadas en mí, fundidas conmigo.

Entonces se descorrió la cortina y entró el sereno de la noche, y con él el viejo, que se me quedó mirando.

Soltó el cabo con tanta furia que quemó el guano del techo de la casa, quemó la madera y quemó la cosecha que allí descansaba.

Quemó también a la mulata, que trató de forrar su desnudez con las pencas que caían del techo. El fuego, sin embargo, respetó a las nietas, que se tapaban la cara con el pelo, como si las manos fueran máscaras con la facultad de hacerlas invisibles.

Yo me paré, desnudo como estaba, y me dio una tristeza de muerte, porque sabía cómo iba a acabar aquello.

El viejo se llevó la mano a su cintura, donde colgaba un machete.

Trató de gritar un improperio, pero la cara se le hinchó tanto como un melón y se le puso primero colorada, ardiente y luego empezó a resquebrajarse. En efecto, justo cuando los dedos alcanzaron la empuñadura del machete, el viejo explotó de ira en mil virutas de ceniza que cayeron, organizadamente, sobre el piso de tierra.

—¡Ay, Dios mío! ¡Ay, Dios mío, ampárame! —gritaba la mulata, que había cogido un trozo de penca para barrer los restos del viejo, los cuales colocó en su pañuelo. Le hizo un nudo a la tela y salió corriendo con el bulto en sus brazos.

Qué lástima, coño, pensé yo, contemplando cómo el fuego se comía lo que quedaba del tabaco. Miré a la menor de las nietas, la pequeña cuyas ubres me parecían ahora desinfladas y pobres, que no podía salir de la sorpresa.

—Más te vale que salgas corriendo ya —dijo, con la lucidez que da el peligro.

Dueña de una velocidad demoniaca, la mulata se las había arreglado para recorrer los alrededores, gritando su desgracia y en cueros, y ya venía sobre mí una turba de antorchas y machetes, que habían visto a la bíblica columna de fuego incendiarlo todo en medio de la noche.

Corrí, por supuesto. Corrí más rápido que la muerte, tierra adentro, sudando y hambriento como un animal. Me escapé hasta que se acabaron el humo, los gritos y la voz de la mulata diciendo ay, Dios mío, chamuscada y aún más prieta por las quemaduras. Corrí mucho, tropecé con un pedrusco y me quedé dormido lejos de allí, en un cañaveral.

Soñé de nuevo con mi padre, en la misma bahía neblinosa y oscura. Pero en lugar de la cara del pescador eran los ojos del viejo muerto los que me miraban.

2

Los fundamentos del mundo

Llegué por fin a la costa. Una línea, curva y limpia como una cuchillada de arena, que va a dar a un pueblo. Desde que salí de Cabo Lagarto todo se ha vuelto áspero, como si la isla quisiera hacerme pagar la traición al viejo. Nunca había visto tanta inclemencia junta: la tierra no me dio qué comer, los manantiales arrastraban un agua amarillenta y fermentada, y los campesinos, al verme desnudo, me ahuyentaban a pedradas.

Estar cerca del mar me daba un poco de calma. Pero las sombras de las mujeres que dejé atrás regresaban a mi memoria, me agobiaban de noche como los mosquitos. No me dejaban calcular qué era lo que tenía que hacer y cómo me iba a salvar.

Cerca del horizonte hay un montículo de nubes. Son negras y colmadas, y yo sé que anuncian peligro. Es un ciclón que viene.

Decidí esperar a la madrugada para entrar al pueblo. En un patio de las afueras había ropa colgada y pude robar un pantalón de trabajo, sucio, y una camisa que me quedaba grande. Cuando amaneció, yo era como los otros mendigos de la ciudad. Nadie se extrañó de mi presencia.

Todo el mundo sabe que el ciclón se acerca, pero no se asustan. Son gente de la tormenta. En vano busco un lugar donde quedarme mientras estoy aquí. De nadie puedo esperar auxilio, comida, techo, porque todos son viejos hambrientos, que acuden a enfrentar el ciclón con el cansancio del que ha ido muchas veces a la guerra.

Me pongo a ayudar a un grupo que está martillando tablas sobre las ventanas de una casa. Son hombres de cincuenta años que, al final del día, me agradecen con un café aguado, un trozo de pan y la conversación.

—La última vez el huracán entró a la casa y se lo llevó todo: mis muebles, mi mujer, mi hija, los restos de mis padres que estaban bajo una losa de mármol, en mi cuarto.

—A mí me llevó mi barco, que estaba descansando en el puerto.

—Yo no tuve tanta suerte. El huracán nos arrebató el aire y parte de la tierra, por eso los que vivimos en las afueras del pueblo padecemos de sequía y nuestros pulmones se pudren por culpa del viento malo.

¿Y por qué no se van?, les pregunto. Me dicen que ya están cansados, con los hijos muertos o lejos de la costa. ¿Adónde van a ir? Entonces me cuentan que hace tiempo el pueblo le huye a los ciclones y se corre un poco más al sur, para escapar de la ventolera y el agua. Pero cada tres o cinco años el huracán viene a llevarse algo, como los monstruos antiguos, con hambre de destrucción.

—Quédate tú también, si quieres —me dicen—. Tú eres un náufrago como nosotros, se te ve en la cara.

Es verdad, pienso. Porque la gente que se ha vuelto polvo una y otra vez tiene la sabiduría del vencido, y sabe reconocerse aunque venga de lejos.

—¿Dónde?

Ellos bajan la cabeza avergonzados por la penuria.

—Entre nosotros no puede ser. Pero en el centro del pueblo hay un viejo convento que se transformó, con el tiempo, en un hotel. Ya no lo atiende nadie y está en ruinas. A lo mejor ahí te puedes quedar.

Entré al edificio por la única puerta que no estaba tapiada. Me dio miedo ocuparlo de noche, porque el hotel parecía una bestia de piedra y cemento, dispuesta a tragar oscuridad, polvo y hierbas de todo tipo. Tenía tres pisos, pero el último estaba completamente molido por unas enredaderas, que bajaban por los arcos hasta el suelo, arrastrando consigo los balcones de la fachada. Pensé que los habitantes del pueblo se habrían llevado los objetos del hotel, pero cuando entré a la recepción vi que aún quedaban muebles, cables y libros de registro.

Las enredaderas también lo doblegaban todo en el interior, torciendo los muros y rajando el techo.

Una capa gruesa de polvo cubría el teléfono, la campana, los juegos de llaves, los buzones del correo. Las puertas de la escalera estaban clausuradas y por eso no me atreví a subir a los pisos restantes. Las paredes, sin embargo, cedían ante mis dedos como si las hubieran fabricado con ceniza.

Me habían dado en el pueblo otro pedazo de pan, pero tuve que compartirlo con un gato gris y enjuto que apareció sobre la barra de la recepción. Como agradecimiento, el gato me mostró un pequeño camastro sepultado bajo los escombros.

Todos los días me levanto y ayudo a los que se preparan para el huracán. El pueblo vive en un silencio perpetuo, como si las palabras tuvieran la fuerza para desencadenar la tormenta. Las mujeres piensan que la fiesta trae mala suerte y catástrofe; los hombres jamás conversan unos con otros y a los niños les está prohibido jugar fuera de la casa, para que el viento no los confunda y se los arrebate a las madres.

Cuando termina mi trabajo, alguien del pueblo me da lo indispensable para vivir. La gente piensa que me he vuelto loco porque guardo, en los amplios bolsillos de la camisa, migajas de pan, cáscaras de frutas diversas, granos y pedazos de cualquier objeto que se pueda digerir. Son para el gato que me sigue cada noche y que, al fin y al cabo, es mi único compañero en el antiguo hotel.

A él le debo el camastro donde duermo y continuas revelaciones sobre el edificio.

Su cuerpo es delgado y espectral como una cuchilla, y por eso puede entender mejor que yo la anatomía del hotel. Conoce los pasadizos, las rendijas por las que se accede a las habitaciones, la fisura entre los ladrillos, las criaturas extrañas que habitan los caños y las tuberías.

Trato de dormir desde que llego al viejo hotel, para conservar intactas las energías que me da la poca comida. Incluso desde el interior de las ruinas se puede sentir cómo el aire se electrifica y la atmósfera se vuelve cada vez más cargada, como si el huracán fuera a conmover los cimientos del pueblo de un momento a otro. A veces el insomnio es demasiado poderoso y solo me es posible dormir cuando avanza la madrugada. En esos momentos entro y salgo del sueño como quien se ahoga en el mar, escucho todo tipo de alimañas raspar las paredes del hotel, veo el rostro de mi padre y el de las mujeres. Mientras tanto, las criaturas se mueven, caminan dentro de los tubos, me vigilan con sus ojos pequeños y quemados por la ceguera. Sé que no imagino a estas pequeñas bestias porque el gato, que es mi guardián nocturno, también las persigue con sus ojos de cazador.

Encontré ayer, gracias a mi compañero, una puerta fácil de derribar que conduce a una de las habitaciones del hotel. Después de limpiar los escombros pude dormir, otra vez, sobre un colchón más o menos suave.

Me da la impresión de que todo cuanto hago tiene que ver con el gato. Él me dirige en la oscuridad del hotel, un laberinto que conoce mejor que yo, y me revela qué pared demoler o cuándo debo dormir. Cada vez tengo más hambre y puedo tocar la forma de mis costillas, mientras que él crece y se alimenta de lo que yo le traigo todas las tardes, como una ofrenda para que no me abandone a mi suerte en medio de la tempestad, que llegará muy pronto.

Desde que amaneció, el felino ha comenzado a morderme con cariño los pulgares de los pies. Hace esto para exigirme alimento o cuando desea comunicarme algún conocimiento sobre el hotel. Rotas las barreras y descubiertos nuevos pasadizos, el gato me ha hecho notar un haz de luz muy débil, que proviene del otro lado de un muro, donde yo pensaba que no había sino más habitaciones. Busqué la barra de hierro que me ayuda a romper las paredes y di un golpe en el muro. Al cabo del tercer bastonazo los ladrillos cedieron y atravesé la nube de polvo hasta el lugar donde gato quería llevarme.

Lo que vi allí fue maravilloso y terrible, y las palabras son inútiles para captarlo.

En un mismo lugar, como lo anunciaron los profetas, estaban la serpiente y el pájaro luminoso, el arroyo habitado de peces de todos los colores, las bestias mansas que pastan hierba y las criaturas que se arrastran hasta las ramas de los árboles, el lagarto despierto y escamoso, las abejas, las polillas y las hormigas en busca de alimento; había también plantas de toda clase, aferradas a las piedras curativas y a los muros tallados por el tiempo, frutas que maduraban durante algunos segundos, para luego caer a la tierra y volverse una sola cosa con el humus y la frialdad; había luz, una luz dorada y verdosa como si el aire estuviera cubierto de musgo, una claridad y un cielo sin los signos de la tempestad que se acercaba.

Recordé entonces que el hotel había sido en lo antiguo un convento y que, quizás, antes de monasterio hubiese sido un fragmento del paraíso, recobrado por las palabras de los monjes.

Pero allí, en medio de todo aquello, había también un hombre, sentado al final de una larga mesa de madera, servida de frutas y otros manjares que los animales le traían. Estaba inmóvil y con los ojos entreabiertos, desnudo como si le tocara ser el Adán de aquel jardín. Sus manos, largas y huesudas, estaban surcadas de pequeñas heridas que parecían hechas con una aguja.

El gato subió a la mesa, mordió un trozo de fruta y se acostó muy cerca del hombre. Con cautela, porque desde Cabo Lagarto no esperaba nada bueno de la suerte, le pregunté al hombre quién era y dónde estábamos.

—Yo soy la piedra que sostiene el mundo —me dijo, sin abrir apenas los labios—. Y cuando yo caiga el orbe también caerá.

La garganta del hombre es profunda y polvorienta, llena de palabras donde el tiempo se empantana y se vuelve piedra, hueso y materia inmóvil. Le baja por los surcos de la cara un líquido legañoso, como si jamás hubiera cerrado los ojos. La barba canosa le tapa el cuello y el pecho, y extiende las manos como si, en efecto, el destino del cosmos dependiera de mantener fijos la mesa y lo que ella contiene.

Si hablamos, los animales nos miran, desde el gato gris y hasta los saurios cuyo cuerpo es imposible ver completamente, por culpa de la maleza que los cubre.

El hombre conversa poco y siempre responde en enigmas. El primer día me limité a mirarlo y a recorrer el claustro o patio interno del hotel, que ya era para mí un pequeño universo. A medida que pasaron los días el hombre se me fue revelando.

Algunas veces decía:

—Yo soy tan viejo como las piedras y las montañas; la luna me parió, el sol me dio la vida; yo pronuncié la primera palabra del mundo, pero se me olvidó cuál fue. Por eso estoy aquí.

O inclinaba su frente hasta tocar la mesa y cambiaba sus orígenes:

—Peleé duro en la guerra. Los vencedores afirmaron que era un espía; los vencidos dijeron que atraía sobre ellos la mala fortuna. Los dos bandos decretaron mi fusilamiento y que mi nombre se borrara de todos los partes. Me les escapé y vine a dar a este convento.

Sus manos parecían estar amarradas con alguna cadena invisible. Solo una vez las movió: para explicarme por qué no comía de los manjares de la mesa.

—Juré matar al mundo y el mundo nunca olvida —dijo, mientras estiraba los dedos para alcanzar una naranja—: mira lo que pasa si me atrevo a contradecir mi propia blasfemia. Al instante treparon por los postes de la mesa ratones, cucarachas, insectos y otras alimañas que no sé nombrar. Bajaron los pájaros de todas partes de la ruina y, mientras el viejo trataba de tocar la fruta, los animales le mordieron las uñas y le picotearon las manos, hasta que su sangre pastosa ensució los alimentos, las plumas y los caparazones de las sabandijas.

—¿Ahora entiendes el peso que tengo echado encima?

Yo quise responder, pero estaba mudo y lleno de asco por lo que había visto. Lo único que pude fue correr, derribar las paredes, llenarme de polvo y caer rendido sobre el camastro de la recepción.

En el pueblo conocí a una mujer. Es verdad que era una mujer marchita y que le podía contar las costillas debajo de las tetas, cuando estaba desnuda. Es verdad que no era hermosa sino flaca como una yegua que ha soportado muchos azotes. Pero me hacía café por las mañanas y, cuando su marido estaba pescando y desafiando al mar, venía hasta el antiguo convento vestida lo mejor que podía, para disimular que era una mujer triste y que deseaba, en lo secreto, que el ciclón le arrancara todo para no sufrir más.

Tiene la piel reseca como un pellejo de taburete, y yo debo revivirla con saliva y aliento para que hable de nuevo. Casi tengo que recordarle las palabras que aprendió. Este es mi rostro, este mi pelo, estos mis labios.

Ella habla con las manos.

Agarra las mías y las lleva hasta sus pezones tostados y picudos, y me pide que los toque con suavidad, porque los dedos del marido son casi trozos de palo, que no saben ir con cuidado por los muslos, las nalgas y la espalda. El hombre la posee sin ganas ni permiso, como una bestia que suda en silencio, hasta que termina y se queda desfallecido a su lado, medio muerto, y ella se pone a mirar las tablas del techo, y desea que el huracán llegue de una vez y los aplaste a todos allá adentro.

Me cuenta todas estas cosas cuando yo entro a su cuerpo, con una dulzura que ella no conocía y que a los dos nos hace falta. Yo le hago el amor como un hombre asustado, pero ella no se da cuenta. No para de hablar de mis manos, de mis dedos, de mis uñas, de la línea de la vida, el dinero y la amistad, de todo mi destino que llevo en la mano izquierda, tatuado por encima del tiempo, la suciedad y el polvo.

Tócame como si me vieras con tus manos, dice ella, mientras conduce uno de mis dedos por los rincones húmedos de su cuerpo hasta llegar a la boca. Y entonces lo muerde.

Yo me estremezco y es como si me doliera, porque no estoy pensando en ella sino en las manos sangrantes y laceradas del viejo, que vienen a buscarme en la oscuridad.

Lo primero es una mancha lejana, negra, sobre el mar. Luego uno nota como se va transformando todo en una nube silenciosa que atrae a otras, en viento que doblega todo, en un silbido que es como si la muerte le llamara la atención a uno y le dijera estoy aquí, abandónate, duérmete para que no te duela.

Pensé en la mujer y en su deseo de morirse, e imaginaba que el huracán se la llevaba lejos por los aires, al paraíso de felicidad que nunca tuvo. Ella me dijo que no la había tocado como las otras noches, que ya no la quería, que siempre pasaba igual. Se miró el cuerpo y lo vio convertido en hueso y en pellejo, y se puso a hablar de que era fea y que se le había secado la vida.

Qué ganas tengo de que me lleve el ciclón y que me muera, dijo.

Son palabras terribles, pensé, palabras que uno no tiene que pronunciar porque lo maldicen por siempre. Eso mismo hizo el viejo y mira lo que le pasó.

—¿Qué viejo? —preguntó ella y yo me volví para mirarla, porque no reconocía su voz ni su cuerpo sentado en el camastro, lleno de picaduras de mosquito y quemaduras de fogón. Entonces vi su fealdad y me dio lástima. Por ella y por mí. Y quise saber si con todo esto yo también tenía ganas de morirme.

Pero no.

No tengo ganas de morirme. No me puedo morir.

—¿Qué viejo?

He caminado mucho, lo he visto todo, no me voy a morir sin dar guerra. Ella se ha gastado encima del camastro, hasta hacerse invisible. Ya no la puedo tocar, es un fantasma.

—Me voy para mi casa.

Yo no tengo casa, no puedo llamar a este hotel casa y nunca he dicho que me quiero morir. Al menos tú puedes marcharte a tu casa. Al menos tú no tienes que enfrentarte al viejo que no come. El viejo.

—¿Quieres venir conmigo a ver al viejo?

Ya se fue. Se disolvió en el polvo. Se escurrió como la arena por la rendija de una ventana rota. Al viejo tengo que verlo yo solo.

Salgo a la calle para ver si estoy a tiempo de buscar a la mujer. No quiero que se quede siendo un espectro para siempre. Extraño su café y su piel que parecía un desierto en el cual perderse. Pero ella no está en su casa, ni en la costa. Sabe Dios dónde se meten los fantasmas. En qué hueco de la vida.

Llegué a la playa, me recosté sobre una piedra y me acordé una vez más de Cabo Lagarto. Allí todo era bueno y hermoso, la comida era abundante y uno podía dormir sobre el vientre de una mujer. Ahora entiendo por qué me fui nadando, por qué me quise convertir en una isla que se pierde mar adentro.

Pero yo quería desaparecerme, no morir.

Ya llegó el huracán. Me sorprendió en la costa, con un lengüetazo de agua salada que me golpeó la cara. Tuve que levantarme apurado y corrí por las calles del pueblo. La gente comenzaba a encerrarse detrás de las ventanas clausuradas y espiaban atentos la obra del huracán. Podía ver sus ojos llenos de terror tras las persianas rotas.

—Escóndete, viejo loco —me gritó un niño que jugaba a la rayuela en la plaza—, que te lleva el coco.

Al cabo del tiempo intento explicarme qué hacía ese niño jugando, con la muerte tan cerca. Qué estaba pensando la madre que lo dejó allí. Pero yo únicamente quería saber dónde estaba la mujer, si había llegado a su casa.

El marido no pudo esperar al huracán: al ver que su mujer no llegaba, que su comida no estaba lista, que la cama no estaba preparada para él, se colgó de una viga del techo. Cuando llegué, todo estaba desordenado y el bulto enorme del difunto giraba sobre sí mismo, en el centro del caserón.

De ella no había rastros. Pero se me erizó la piel cuando vi el machete desenvainado y apoyado en la pared, como un mal presagio. Nada bueno se saca de un machete que ha perdido la vaina y el dueño. Nada bueno se puede esperar después.

Un viento fuerte conmovió las paredes. Aproveché para robar ropa del escaparate del suicida, me puse una camisa limpia, en la cual descubrí una moneda muy vieja, y salí de allí.

Entonces pude ver a la mujer.

Flaca como una lámina de agua, o como un hilo de humo, la mujer se perdía en círculos dentro del huracán. Me observó por última vez, con la mirada serena y confiada de los felices. La pobre. El ciclón rugía fuerte, victorioso, y la arrastraba a su torbellino de madera, agua podrida y polvo. Se cumplieron sus propias palabras, dije. Y eso me ayudó a irme tranquilo, porque no conocí a nadie que abrazara la muerte con tantas ganas y tanta fragilidad.

Aprendí de todo esto que el ciclón también reclama a sus hembras. Y que las mujeres que quieren morirse le pertenecen por derecho al caos y a la perdición.

Pero el desastre no había terminado y cuando llegué al viejo hotel había hombres con martillos para derrumbarlo, porque iba a aplastar las casas a su alrededor cuando el huracán barriera esa parte de la ciudad.

Mi alarido fue tan grande que ayudó a quebrar una pared. Empujé a los hombres y entré al hotel. Atravesé todas puertas y grietas hasta llegar al patio. El cielo encima de él aún estaba limpio y no había señales de tempestad.

Le grité al viejo que teníamos que irnos, que el ciclón venía, que todo se iba a ir al carajo de un momento a otro.

—Hoy es el día de la muerte del mundo —dijo, sin levantar la vista—. Hoy se cumplirá mi maldición y ya no seré esclavo de las bestias.

El gato gris tenía los ojos atentos, como el que espera el comienzo de una batalla. Dios mío, dije. Hay que irse. Los martillos están sonando, las paredes están siendo destruidas.

—Ellas saben que la maldición es doble y que me las llevo conmigo a la muerte. Ellas tienen una sola ley que cumplir. Yo tengo muchas.

De pronto el hombre se levantó y vi el catálogo completo de sus huesos. Tomó con sus manos temblorosas la naranja del día anterior y comenzó a morderla con su cáscara y a masticar sus semillas.

—Declaro aquí y ahora que el que me maldijo va a padecer un destino más cruel que el mío. Que se cumpla lo que tenga que cumplirse. Ya soy libre.

El gato fue el primero en atacar. Luego vinieron las demás criaturas, los dientes finísimos y las grandes mandíbulas, las garras y zarpazos brutales. Tuvieron parte en el festín todos los roedores, insectos y reptiles, hasta que sobre el asiento quedaron unas cuantas hilachas de tela.

Se oyó el gran golpe. Seco, terrible, amortiguado por las enredaderas del patio. Y luego del golpe vino el silbido de la muerte, que se colaba entre las rajaduras del ladrillo y por las tuberías del hotel. Todos los animales empezaron a correr, acordándose de la maldición del hombre. Mientras yo mismo escapaba del desastre veía como la ruina los masticaba. Un pedrusco sepultó al gato, los lagartos se atragantaron de cal y polvo, y yo a duras penas pude salir a la calle.

Caí tendido a los pies de los que habían derribado el edificio.

—Había un hombre —grité, señalando las ruinas del viejo hotel—. Allí había un hombre.

No podía respirar, tosía porque tenía toda la polvareda del derrumbe pegada en los pulmones. Yo estaba equivocado, aquella sí era mi casa, donde hacía el amor con una mujer marchita y tenía un gato al cual alimentar.

—Ah, sí —me respondieron y yo sentí que se reían de mí—: el cuento del borracho que se escondió en el hotel.

Ningún borracho, quise decir, malditos, destructores, degenerados. Que el ciclón se los lleve, que los asfixie, que se los trague junto con la mujer. Pero no dije nada.

—Tranquilo, que a ese borracho lo vio por última vez el padre de mi padre. Y era más malo que el diablo.

3

Ruinas de la ciudad

El vendedor de tabacos tomó la moneda en sus manos, le sacudió el polvo y el fango. El disco de plata brilló nuevamente.

—Esta moneda corresponde a otro tiempo y ya no la usamos —dijo—. Pero se la voy a aceptar, porque así eran los pesos que me regalaba mi abuelo, de niño, para comprar caramelos.

No sé qué fuerzas invisibles me arrastraron fuera del pueblo, como flotando, hasta la tienda de puros, encajonada en la ciudad grande como si fuera una cantina de refugiados. El aire espeso del lugar me calentaba las tripas, aguadas por la lluvia y por mi escapatoria del huracán. Las estanterías de cedro atiborradas de pipas, guillotinas, latas de picadura, tijeras y cuchillas de troquel, además de cientos de botellas ambarinas de ron y otros alcoholes más nobles, junto a una cafeterita modesta y pulcra, todo contribuía a que me recalara allí, sobre el mostrador largo y barnizado, frente a aquel mulato vendedor en cuyo anular había encasquetado un anillo con el compás y la escuadra.

—¿Usted es masón?

—Mis hermanos me reconocen por tal. ¿Y usted?

—Yo no soy nada, caballero. Un muerto que camina.

—No va a ser el primero ni el último que pase por esta tienda. Aquí todos somos náufragos y por eso buscamos una casa, la del tabaco.

Enseñó de nuevo el anillo plateado que le apretaba el dedo.

—Todos los fumadores somos animales de la misma ralea.

La moneda alcanzó para conseguir un Partagás, tenebroso y colorado, a la medida de mi desgaste. El mulato descabezó el habano y sus gestos me recordaron al viejo veguero. Me había comprado un tabaco para recordar la piel de las mujeres en Cabo Lagarto, esa dulzura que tenía sabor a hoja caliente, hierba mojada, agua y sábanas limpias.

—Le voy a hacer un café. Es un crimen quemar ese tabaco sin buena compañía.

A los diez minutos, la taza humeaba delante de mí y mi anfitrión exigía mi opinión sobre la colada.

—Está bueno, amigo mío —dije, cumplimentando el rito del sorbo y la humareda—: bacán.

—El tabaco se lo di de regalo, por el gusto de conversar. Espero que la moneda haya caído en mis manos por las mismas razones. ¿Viene usted de muy lejos?

El ciclón, el hombre aplastado por las ruinas, la mujer buceando por los aires, los ojos del gato. Las cenizas de Cabo Lagarto.

—Podría decirse.

El vendedor de tabacos se resignó a mi laconismo y me hizo notar, por señas, la presencia de una mujer.

Como no la había visto, fue como si el gesto la invocara. Ella abrevaba tranquilamente un purito panetela, como si estuviera paladeando un dulce. Las volutas de humo ascendían con mucha parsimonia sobre su pelo, hasta el techo de madera.

—¿Quién es?

—No me pregunte. Ella viene como las mujeres de las películas viejas, a pedir su tabaco, una vitola breve que le dura bastante, porque tiene unos labios muy delicados, bonitos, con sabor a guayaba.

—No me vaya a decir que los ha probado.

—Qué más quisiera yo. Pero me imagino.

—Una lástima.

—Algún día, pero de momento, hable usted con ella, si quiere. Me alegraré en su lugar. Pondré un bolero bien bajo, para no fumar en silencio.

Sobre una mesita de caoba empezó a sonar un tocadiscos defectuoso, del que salía la voz de Bola de Nieve cantando *Ay amor* primero y luego *No me platiques*. La mujer estaba leyendo, fumaba sin apuro y tenía delante medio trago de coñac.

—Los hombres son como los dioses —dije cuando vi el libro—, nacen y mueren sobre el pecho de una mujer.

Tenía la piel muy blanca, los ojos claros y felinos, bajó el libro poco a poco, con gracia, y puso el tabaco a reposar sobre el cenicero.

—Buenas.

—Fumar de pie es pecado —le mostré el Partagás encendido, como prueba del delito.

—Ahí tiene una butaca.

—Gracias.

—Dice mi amigo que usted es una conocedora.

—Su amigo dice mal. Yo soy una mujer a quien le gusta fumar y leer, como a muchos.

—Yo hace mucho que no leo, aunque vivo como salido de un libro.

—No me diga.

—Cuando pasó el ciclón yo estaba en una de esas aventuras: conocí a un hombre que era más viejo que Matusalén y que vivía con un gato flaco. ¿Dónde estaba usted el día del huracán?

—Aquí mismo. Fumando y leyendo. Siempre estoy aquí.

—¿La cuidaba nuestro amigo?

—Nuestro amigo no cuida a nadie. Se limita a poner boleros y a mirarme. Nunca dice nada. A veces me da lástima con él.

—A lo mejor te tiene miedo. ¿Te puedo tratar de tú?

—Si quieres.

—Te tiene miedo porque eres muy linda.

La mujer salió un poco de la oscuridad. Era atractiva y lo sabía, y eso hace a una mujer peligrosa como una navaja. Las mujeres no fuman solas oyendo boleros.

—Veo que te gustan los cepos trabajosos —dijo, apuntando al robusto Partagás.

—Tengo alma cimarrona. ¿Y a ti? ¿Las panetelitas?

—Así puedo probar muchos puros en un día.

—¿Te funciona la misma fórmula con los hombres?

La mujer se levantó sin enojo, con una serenidad intimidante, y sofocó el puro sobre el borde de la mesa.

—Eso no se hace —le dije.

—Me tengo que ir ya.

—¿Te espanté?

—No soy de las que se espanta con palabras, pero me tengo que ir.

—¿Vendrás mañana?

—Vengo todos los días.

Un par de cachas simétricas, redondas y repletas avanzaron muy cerca de mi cara, hasta salir por la puerta estrecha de la tienda. El tocadiscos paró bruscamente de girar y el mulato sonriente se sentó frente a mí, en el asiento aún tibio de la mujer.

—¿Y entonces? —preguntó, mientras sus manos trataban de reconocer el calor femenino sobre el vinil del butacón.

—Mañana, dice.

—Bárbaro —aplaudió.

Tal vez la única manera que tenga el hombre para olvidar sus fantasmas sea el cuerpo de una mujer, la piel caliente y suave, la humedad de la lengua y la saliva, el sabor y la textura del sexo, que es el río del olvido, el silencio y la indiferencia.

Cada gesto, encender un mechero plateado, aplicar la llama sobre el tabaco decapitado, absorber la humareda tranquilamente y expulsarla mirando al suelo, como si fumar fuese un acto tan vital como la respiración, cada paso de ese ritual se dirigía como un hechizo a mis ojos, que la miraban desde el butacón, sin hablar, descansando en el sosiego que me daba aquella ceremonia.

Yo no pude fumar, me dolían los pulmones y tenía los labios quemados por la dureza del Partagás.

Había tanto polvo dentro de mí que ni todo el tabaco del mundo hubiera podido limpiar la inmundicia y los recuerdos del antiguo hotel. Lo único que podía salvarme, lo único que quizás habría borrado de golpe el espectro de mis muertos era el gusto de aquella boca, hábil para sorber un puro como si le arrancara el alma.

—Acompáñame a un mandado —dijo más tarde.

Ella sabía que no le iba a preguntar nuestro destino, así que dejó el cabo en el borde del cenicero y se puso de pie. El mulato me guiñó el ojo, con entusiasmo canino, cuando salimos juntos de la tienda.

Las calles de la ciudad grande eran tramposas y encaracoladas, los vendedores se amontonaban detrás de sus carros, con caras descreídas y peligrosas.

—¿Qué le pasa a la gente de aquí?

—Nada. Saben que hay algo a punto de explotar y eso no le gusta a nadie.

—¿Cómo que a punto de explotar?

—Ah —ella me miró como quien se compadece de un niño—, ¿pero tú no sabes nada?

—¿Qué es lo que hay que saber?

—O eres bobo, o loco, o a lo mejor un espía.

—No soy nada de eso, ¿qué tengo que saber?

—La guerra está llegando.

Sentí mucho cansancio en los huesos, como si me pesara en las costillas la memoria de muchas batallas antiguas, combates que no recuerdo y que me han abierto heridas en la piel, cicatrices cuyos cuchillos me atormentan todavía, penetrando un riñón o el muslo, en busca de una vena por donde afincar la puñalada final.

A todo sobreviví, pero no quería entrar a otra guerra, con toda su maquinaria de balazos y mala suerte.

—Olvídate de la gente y de todo. ¿No te gusta la ciudad?

Era un espacio hechizado, viejo y en derrumbe. Cómo no me iba a gustar. Pero no tenía la cabeza dispuesta para entender el laberinto de callejones, música, palacetes y rejas oxidadas, los castillos y vitrales empañados por el salitre.

—Déjate llevar por la ciudad, antes de que todo se acabe. Disfrútala como si fuera la última vez que ves a una mujer.

—¿Es la última vez que te voy a ver a ti?

—Uno nunca sabe, por eso te digo.

—Es bonita, pero hay un aire malo que me quita la calma.

—Te entiendo. Pero ya queda menos.

Seguimos caminado a través de avenidas empedradas y fachadas de restaurantes, hasta llegar a la puerta de una casa, apuntalada por barras diagonales de pino.

—Llegamos.

Nos abrió una anciana centenaria, que ofreció dos sillones y una taza de café. El ambiente de la casa era opresivo, el aire irrespirable.

La vieja regresó con un bulto que entregó a la mujer.

Sus manos desenvolvieron el paquete: era una pistola, negra y brillante, de calibre tan pequeño como el cepo de sus tabacos.

La orquesta del bar tocaba *Manteca*, como si la efervescencia de aquella canción le estuviera permitida a un lugar al borde del desastre. La mujer fumaba, pero esta vez un cigarro fino y moreno.

—¿Por qué me llevaste a esa casa? Tú a mí no me conoces.

—No tengo que conocerte para saber que no estás con ellos.

—¿Quiénes son ellos?

—Necesito que me ayudes.

—¿A qué?

La mujer abrió el bolso y rozó el cabo empaquetado de la pistola con su dedo índice.

—A acabar con todo.

Las notas de una rumba discreta y azucarada llenaban el salón del bar.

—Por fin —exclamó ella, cuando el mesero nos puso delante las dos copas de daiquirí bien cargado, áspero—. Disfruta, ahora que se puede.

—Yo no sé quién eres tú. No sé qué quieres —le di un trago al daiquirí, fresco y cortante como el filo de un machete—. Pero estoy muy apurado y tengo que seguir caminando.

—¿Adónde tienes que ir?

—A Oriente, al entierro de un amigo mío.

—Qué bien. Yo nunca he estado en Oriente.

—¿Me vas a explicar a qué viene la guerra?

—¿Cuánto tiempo has estado fuera de aquí?

—No sé, mucho. Acábame de decir.

—Pusimos todo lo que teníamos en manos de un hombre que no nos iba a fallar. Es como cuando una se casa y el marido se le tuerce. Terminó siendo un tirano, como los demás. Hoy o mañana vamos a tumbarlo.

—¿Son muchos, ustedes?

—Un país entero.

—¿Y por qué no han hecho nada?

—Porque es el país del silencio.

El dueño del bar mandó a callar a los músicos y puso el radio a todo volumen. Una invasión había comenzado muy cerca de la ciudad grande, en la costa del sur. La gente escuchó la noticia mirando el fondo de los vasos, prendiendo nuevos cigarros. Cuando el noticiero terminó, los músicos reanudaron los acordes de *Tres palabras* donde los habían dejado, como si la invasión no los pudiera tocar mientras sorbieran sus tragos congelados y escucharan aquella música anestésica, que remediaba cualquier inquietud.

En la calle no había gente sino un silencio acumulativo y pegajoso, que no anunciaba nada bueno. No volvimos a escuchar ningún sonido hasta que regresamos a la tienda de tabaco.

—¿Ya llegó todo el mundo? —le preguntó al mulato vendedor. Escaleras arriba, en el segundo piso de la tienda, esperaban hombres sombríos, engrasando armas y contando municiones.

—Oye —le dije en voz baja, agarrándole el brazo.

—Dime.

—¿Por lo menos puedo saber cómo te llamas?

—Berenice.

—¿Ese es tu nombre de guerra o el de verdad?

—Vas a tener que averiguarlo luego.

Se habló de un golpe, de asaltos, de una conspiración tramada en las logias, como en tiempos antiguos. Un tiro bien dado o una puñalada, y la libertad, que en boca de aquellos muchachos parecía luminosa, próxima e inevitable.

Pobre gente, pensé. Y pobre de mí, que por una mujer soy capaz de empezar una guerra que no me toca. Otra guerra.

La invasión estaba haciendo lo suyo y será fácil ganar, dije, como un hombre inspirado por el amor a la nación, la familia y otras mentiras que hacía rato se me habían gastado en la garganta. Yo hablaba por la mujer, para que me admirara, para engañarla con un fervor tan falso como mi vida, como mis cuentos de hombre machacado por todo. Las mujeres jóvenes que fuman tabaco se dejan seducir por los soldados viejos.

Los hombres saludaron mis palabras y me pusieron a cargo del asesinato de un general, junto a Berenice.

Berenice.

Incluso el nombre de la mujer era oscuro, un mal presagio, pero yo me dejaba arrastrar por la mala fortuna y sabía que no había nada fácil que esperar de mi futuro. Lo único que me alimentaba era la posibilidad de Berenice, su silueta gris y asomada a la ventana, como si no le importara la conversación.

—Mira que eres mentiroso —me dijo después, cuando estábamos desnudos sobre el suelo de la tienda, satisfechos, abrigados por la madrugada y el silencio.

—¿Y entonces por qué no le dijiste nada a tus compañeros?

—Porque eres un mentiroso extraño, como todos en este país. Eres capaz de morirte por algo en lo que no crees.

—No me quiero morir.

—Lo sé, pero tienes la muerte en la cara. La traes contigo y esta noche la invocaste sobre todos nosotros. Desde que te vi lo supe.

—¿Entonces por qué querías que viniera?

—Porque tenías que estar con nosotros. Sé que algo va a pasar y que tú tienes mucho que ver con nosotros.

—¿Contigo también?

—También.

—Me gusta tu cuerpo, Berenice. Me ayuda a no pensar en lo que tengo arriba, o en la muerte, como dices tú.

—Entonces te digo lo mismo que te dije cuando hablamos de la ciudad. Disfrútame bien. Recuérdame bien. Uno nunca sabe.

De todas las mujeres con las que hice el amor, solo Berenice sabía que estaba muerta. Solo ella podía abandonarse a hacerlo todo por última vez, a dejarse amar por un hombre que llora, que muere junto a ella, o peor, que no sabe si es capaz de morir, atormentado como estaba yo por el presentimiento de llevar la desgracia adondequiera que voy.

Pero Berenice no pensaba en estas cosas, se limitaba a existir, a gemir, a tocar, a besar, aferrada a la vida con tanta intensidad que provocaba lástima y miedo al mismo tiempo.

Y el vendedor de tabacos, no sé cómo, tenía razón. Sus labios sabían a guayaba, a aguacero y a muerte.

El día del golpe salimos temprano al capitolio de la ciudad, cuya cúpula se alzaba afilada y obscena como una teta. Estaba nublado y Berenice iba prendida de mi brazo, silenciosa y con la mano cerca del bolso.

Íbamos a formar parte de la revuelta de universitarios que comenzaría en cualquier momento, convocada por un altavoz dispuesto en uno de los edificios que rodeaban aquel paseo. La gente comenzó a acumularse, a salir de los callejones como hormigas rabiosas, escupiendo gritos y consignas. Por lo visto los invasores habían logrado tomar algunos pueblos de la costa sur y se aproximaban a la ciudad, cansados y barbudos por el camuflaje.

El presidente y su cámara estaban en el capitolio y se les vio asomarse al balcón, encasquetados en sus uniformes, de pistola y gorra, como acostumbraban. Intentaron hablar, pero la multitud apagaba cualquier otro sonido que no fuera su maquinaria de odio, de cambio, de cansancio con todo.

Vimos al general que nos tocaba matar, escoltado por dos sicarios, que trataba de llegar a un Chevrolet parqueado en el costado del edificio. Caminaba discreto, enmascarado por un sombrero blanco y unas gafas oscuras. Tres jóvenes, Berenice y yo nos acercamos a la calle, empujando al gentío.

Dos tiros secos, precisos a través del cristal, en el cráneo de los acompañantes, bastaron para dejar al general indefenso. Los muchachos sacaron al hombre del Chevrolet y lo patearon en el estómago y la cabeza. Uno lo remató con un disparo en el pecho.

Mareado por tanta violencia, le pedí a Berenice que nos fuéramos.

Ninguno de nosotros vio el cañón plateado de la ametralladora asomarse a una ventana alta y vomitar sus ráfagas de plomo sobre la calle. Los muchachos, ensangrentados por el fogonazo, fueron aniquilados uno por uno, mientras que Berenice y yo nos atrincheramos debajo de un alero, tratando de salir a la explanada del capitolio.

Pudimos escapar y protegernos entre la multitud, que empezaba a vandalizar el edificio, arrancando postes, ventanas, cables, derribando puertas y matando a los guardias. Era una sola masa de muerte y furia, y nadie podía detenerla.

Tenía a Berenice bien agarrada a mí, pero alguien me dio un puñetazo en la nariz y durante unos segundos no pude ver nada. Miré al suelo: entre mis zapatos iba avanzando un charco de sangre negra, caliente, que se agrandaba y manchaba los zapatos de todo el mundo, se empastaba entre los dedos, las uñas, entraba a los huesos y derretía las suelas.

Empecé a llamar a gritos a Berenice.

Cuando la encontré, dos hombres la sujetaban mientras ella dejaba salir toda su sangre, como muchos otros, hasta inundar la ciudad, borracha de muerte y libertad. De nada valió derribar a los dos hombres, sacar el cadáver de Berenice, besar su pelo apagado y viscoso, sus ojos de mujer sin aliento.

Entonces se oyó una voz poderosa, vibrante como la tormenta, que dejó a todo el mundo en el silencio más horroroso que he oído en mi vida. Y supe que ese silencio nos iba a acompañar durante mucho tiempo como una maldición, como la presencia de la muerte.

—No tengan miedo —bramó la voz—. Por fin llegué: ya estoy aquí.

Y el aplauso fue como un escalofrío primero y después como una avalancha, un tornado, un ciclón de voces unánimes que predecían, por los siglos de los siglos, el destino que habría de vivir la ciudad.

Yo seguía abrazado al cadáver de Berenice, mientras la muchedumbre se iba dispersando, satisfecha por el festín del miedo. Entonces los vi, marchando con lentitud sobre los carteles despedazados y el mar de sangre.

Era la procesión fúnebre del viejo veguero, las nietas encapuchadas y vestidas de negro, la mulata llorosa con el bulto de cenizas entre los brazos, los tabaqueros envueltos en harapos y con los pies descalzos, arrastrando sus machetes y murmurando mi nombre como un cántico, maldiciendo, pidiendo venganza, sangre, muerte para mí.

4

La voz de siempre

No puedo librarme de la voz. Me somete a una cacería implacable, sale de los callejones, de las rendijas, de la radio, la oigo poseer otras voces, se encarna en miles de formas, palabras fermentadas, verdosas y sutiles que no me dejan pensar ni dormir. Y entre la maraña de frases podridas, el rostro rojo de Berenice, preguntándome por qué no apreté su mano con más dureza, por qué no la salvé de la sangre. Todo esto lo veo en el fondo del vaso, que se gasta una y otra vez sin borrarme la memoria. La marcha de encapuchados que me anda buscando, con las manos embadurnadas de tabaco y cenizas de muerto, unas extremidades mordidas y putrefactas, el hombre ahorcado que gira como gira el mundo. ¿Cómo puede sacarse uno de arriba el peso de sus fantasmas?

A veces me encorvo sobre la penumbra de la barra, cuando todos se van, y veo a mi padre. Su rostro es plateado y oscuro, y con sus manos de hierro sigue sacando mundos del océano.

El agua negra, las piedras que salen partiendo las olas, dientes apretados, ojos ciegos, como los de un monstruo venerable.

Cuando llega la mañana, y el dueño del bar comienza a barrer a los borrachos, me arrastro por las calles de la ciudad. La tienda de tabacos está clausurada y en derrumbe, no puedo encontrar la casa de la vieja que le vendió la pistola a Berenice, los hombres avanzan dentro de una niebla agria, hablando otros idiomas con los invasores, tomando aviones que los llevan lejos de aquí.

El mundo es tan extraño ahora y, sin embargo, todo parece estar de fiesta por la nueva época. Se acabó la tiranía, dicen. Somos dueños del país. Ellos no son invasores, son amigos de mi mujer, acompañan a mi hijo a la escuela, me dieron trabajo y comida. Lo he intentado todo, desde cubrirme los oídos hasta sumergir la cabeza en el agua. Pero ahí sigue la voz, dictando instrucciones, discutiendo con su tono desesperante y dulzón, como de asmático. Apoderándose de las plazas, las tribunas y periódicos. Vibrando en la cabeza de vivos y muertos, sin dejarlos descansar en paz.

Cuando salí de la ciudad lo hice descalzo, para que los zapatos no se me gastaran y los pies volvieran a ser ásperos y secos, como cuando era niño. No corrí, no iba apurado sino mirándolo todo, despierto por si el camino se volvía una vez más en mi contra. Pero no fue así, la ruta fue amable, llena de señales y árboles frutales. De haber tenido un destino y no andar errante, hubiera sido fácil llegar.

La maldición de la voz avanzaba conmigo, en el viento y el humo que venía de la ciudad.

Sabía que sus palabras no estaban fuera, sino que se habían encharcado dentro de mí, y que serían necesarios mucho sol y mucha arena para que se apagaran e hiciera silencio. Me hacía falta paciencia, y quizás más juventud, porque andar descalzo una vez más me recordaba todos los años que traía conmigo, y que gravitaban como si fueran siglos, frenando mis músculos.

Llegué a un puerto de noche y me colé de polizón en las bodegas de un vapor.

El animal de aire y madera reptó a lo largo de la costa hasta anclarse en una bahía. Allí, de madrugada, aproveché para bajarme. Fui a dar a un pueblo viejo, con todos sus edificios congregados alrededor de una plaza de armas. Los hombres eran enérgicos y las mujeres hermosas, de buenas caderas. Vendían frutas, pescado y joyería, y respiraban prosperidad. Quizás, pensé, aunque la voz fuera maligna, había sido beneficiosa para los no malditos, para los que obedecieran y estuvieran dispuestos a no vagar, como yo, por los rincones del mundo.

Tenía hambre. Le expliqué a una anciana que me habían robado la bolsa durante el viaje y que necesitaba comer. Me regaló dos naranjas, medio pan y un pilón de agua. Agradecido, me senté en la escalinata de la iglesia a devorar mi comida.

En eso unas tropas se cuadraron en el centro de la plaza, uniformadas y con los fusiles al hombro. También llegó una partida de jinetes con su capitán, y comenzó la arenga.

Fidelidad, gratitud, paz.

Esas eran las palabras que masticaba el oficial, como si desgranara su significado a los soldados, a fin de que comprendieran mejor por lo que debían morir.

Iban a buscar a unos alzados, a cazarlos al monte, en las cuevas o donde estuvieran. La voz no toleraba insurrecciones. Los soldados, con las ropas azules y brillantes, dieron un grito fuerte y dispararon algunos tiros al aire, algunos afilaron sus cuchillos y bayonetas, y revisaron el estado del armamento antes de marchar calle abajo, a las afueras.

Tuve miedo y entré a la iglesia.

—Usted también la escucha.

—Es amarga, ronca, como si muriera o matara al hablar —dijo el fraile.

—Esa misma es. ¿Desde cuándo la oye?

—Con más fuerza desde hace algunas semanas. Pero en realidad la he oído toda la vida, como un susurro o una molestia dentro de la cabeza.

—Como una mosca. A mí también me pasa.

Un pequeño lagarto bicolor se escurrió entre las sandalias del fraile, camuflado por las baldosas blancas y negras de la iglesia.

Trataba de huir de la luz, de los pisotones, afincado al canto de una losa con sus patas traslúcidas.

—¿A dónde vas ahora?

—Le digo a todo el mundo que voy a Oriente, a enterrar a un muerto. Y es verdad, pero no voy por eso.

—He visto a ese muerto. Avanza con una procesión de plañideras y pocos dolientes, pero en el camino han recogido muchos fantasmas, viudas y criaturas sin destino. No sé a dónde se dirigen.

—Van a un cementerio que está en el fondo de la isla. Allí pretenden enterrar al viejo.

—¿Un amigo?

Cerré los ojos hasta que pude oler el campo húmedo de Cabo Lagarto. Piel de mujer, hoja fresca, sudor.

—No.

—Vienen diciendo tú nombre. Hoy, cuando te vi sentado en la escalinata, supe que ese nombre era tuyo. Tantos gemidos y maldiciones han tomado la forma de una sombra sanguinolenta, que los acompaña y va marchitando el trillo por donde cogen.

—No soy un hombre bueno, padre. Ellos tienen razón cuando arrojan blasfemias sobre mí.

—Puedo absolverte, si te decides a no torcer más tu vida.

—Confiéseme si quiere, pero la desgracia que yo traigo no se limpia así.

—¿Y cómo se quita?

—Con la muerte, pero ella no me hace caso, se niega a llevarme. Me hace compañía y tritura a los que se cruzan conmigo, pero a mí no me toca. ¿No le da miedo?

—Yo soy un hombre viejo, hijo. He llevado a muchos difuntos al otro lado, he visto morir a los míos, igual que tú. La muerte y yo estamos unidos en un matrimonio silencioso y cómplice.

—Perdóneme entonces, padre.

Me arrodillé delante del cura, como el día en que murió mi madre.

—Has pecado mucho.

—Es verdad.

—Has amado a muchas mujeres.

—Casi todas se han muerto. Hice lo que pude, pero pude muy poco.

—Lo sé, pasó lo que tenía que pasar. ¿Entiendes lo que cargas?

—Lo entiendo, pero no lo acepto.

—Hay para ti una salida, pero está lejos. Quizás esté pegada a las cenizas del viejo, enterrada en un sitio que no veo bien. ¿Conoces el lugar del que estoy hablando?

Vi el cayo solitario donde mi padre arrastraba lentamente su pita de pescador, neblina, miedo, oscuridad plateada.

—Lo he visto en sueños.

Temblorosas, embadurnadas de aceite funerario, pálidas como las extremidades de la lagartija, las manos del sacerdote sujetaron mi cabeza mientras recitaba la plegaria.

—Vete a ese lugar, habla con tu padre, olvídate de tus pecados y déjalos aquí, conmigo.

La luz de la tarde arrinconaba el confesionario en la penumbra, y las baldosas adquirieron un color cobrizo y moribundo. El hábito blanco del fraile, que envolvía sus huesos de hombre cristalino, se escurrió hasta el pasillo de las celdas.

Me quedé solo, mirando el bulto húmedo de mis pecados sobre las tablas del confesionario. Desahogado, lúcido, elástico como un reptil. Sordo para la maldición de la voz.

Tercié sobre mis hombros el hatillo que me había suministrado el cura, con alimento y agua para dos semanas, y me perdí en el monte. Volvía a confiar en mi olfato, en el instinto de saber adónde iba. Tenía que caminar siempre hacia la salida del sol, encontrar el cementerio, el cayo, encontrar al viejo pescador.

Traté de evitar toda lumbre, todo rumor de pasos o señales en la maleza, hasta que se me acabó la comida.

Con mucha cautela, empecé a seguir las huellas de un grupo de insurrectos y reuní valor para enfrentarlos y pedirles que me mataran el hambre. Me apuntaron todos al mismo tiempo, insultados por mi petición, como si hubieran visto al diablo. Uno de ellos me escupió la cara y afincó el filo de su bayoneta sobre las venas de mi garganta.

Pasaron muchos días antes de que los alzados decidieran escucharme. Me obligaban a comer cucarachas y raíces, burlándose de mí. Me arrastraban con ellos con los ojos vendados, porque no podían pasar mucho tiempo en un lugar fijo. Les conté que había una tropa persiguiéndolos y me dijeron que ya lo sabían, por eso erraban del monte a la sierra, limpiando el rastro.

La guerra no se había acabado. Era el mismo combate primitivo, sin descanso, entre el tirano y el presidente viejo, que los había llamado al alzamiento. Decían que era un hombre robusto y sin miedo, que lo había quemado todo para empezar la insurrección.

Tenemos comités en todas partes, espías, soldados blancos y negros, y nadie está cansado. Estamos enfurecidos y tenemos que ganar.

Quise explicarles que yo había participado en muchas guerras. Todos eran héroes, todos eran patriotas, todos enarbolaban su razón y estaban dispuestos a dejarse matar por ella. Cuando dije estas cosas mi carcelero me pateó el cráneo. Quedé medio muerto, sangrando, sobre el poste donde me tenían amarrado.

Me despertó la sensación acuosa y fría de la venda, absorbiendo la sangre de mi frente.

—Le dije al capitán quién eres tú.

La cabeza me ardía como si la estuvieran quemando, pero la torunda mojada seguía empapándolo todo, calmándome.

Abrí los ojos.

—Llegaste nuevo al pueblo. Nadie te conocía. Pero el cura te dio comida y me habló de ti. Tarde o temprano nos ibas a encontrar.

Ella no tenía rostro, como las mujeres de Cabo Lagarto. Su mano helada y blanca volvía a rescatar todas las cosas desde la oscuridad.

—¿Siempre te pasa lo mismo?

Su índice recorría ahora la piel enquistada y marchita de mis cicatrices. Muchos balazos, golpes, cuchilladas.

—Sé que no puedes hablar. Pero acuérdate de quién eres. Ya no vas a ser prisionero. Las mujeres del pueblo dimos la cara por ti.

Fue lo último que pude escuchar. La mano apretó mi cabeza con demasiado vigor, para limpiar los surcos de la herida, y la luz del mundo se apagó.

Los dedos hábiles del negro molieron las hojas de yerbabuena, trituraron la raja de limón y lo mezclaron todo con azúcar prieta y aguardiente. El cañonazo bajó a mi estómago, maltratado por las patas de insecto, hongos y cortezas.

—Hay quien le llama a esto draque —la garganta del negro era áspera, usada— pero yo le digo mojo, como el que se usa para el puerco y la yuca.

—Me quema.

—Lo sé, pero ayuda a olvidar y a soportar la manigua. Igual que las mujeres.

El negro miró al grupo de cocineras, que removían un gran caldero de ajiaco. La mujer que me curó estaba en el medio, comprobando el punto de sal, sudorosa por el trabajo y el calor del monte.

—Si no fuera por ella te habrían dado una puñalada de noche, para ahorrarse la bala.

Di un trago generoso al mojo, que mantenía a raya el dolor.

—Tengo la manía de no morir.

—¿Quieres?

Me ofrecía un cabo infame, prieto y agrio, pero era lo que había.

—Esto también lo torcí yo, pero la hoja es diabólica. Extraño el buen tabaco.

El caldo preparado por las mujeres me alivió y tuve que ir a dormir enseguida. Yo era, de momento, el único enfermo del sanatorio improvisado. Aquel grupo era de gente nueva, no habían probado el plomo ni el fuego del enemigo. No habían visto a la muerte por primera vez.

Por la madrugada, como esperaba, el dedo persistente de la enfermera volvió a contar mis cicatrices. Afincó sus muslos de mujer reciente, fresca, sobre mis caderas agotadas. El movimiento fue lento, minucioso, como si no quisiera romperme de nuevo la piel.

Quise protestar, decirle que se fuera, que iba a acabar mal, como todas. Pero yo estaba preso, indefenso, sofocado por el ritmo y la carne jadeante de la mujer.

Me vestí con las ropas harapientas de la tropa, me asignaron un fusil y un turno de guardia. La vida era simple y rústica: fumar el tabaco del negro, comer lo que el monte nos daba, refrescarme con el mojo y hacer el amor como quien está a punto de morir.

A mediados de mes teníamos el encargo de atacar una tropa enemiga que haría reconocimiento en unas lomas cercanas. Estarían cansados y desinformados, y la carnicería resultaría brutal.

Aprendí a conocer mejor a los jóvenes del campamento. Eran de familias opulentas y venían con sus esclavos, libertos solo de nombre, porque seguían acompañando a sus amos hasta el umbral de la perdición. Todos habían sido perturbados por la voz y su chirrido persistente, insoportable dentro de la cabeza.

Las mujeres también eran casi niñas, adiestradas en soportar torturas y llevar mensajes del pueblo al monte. Libres de la religión, de los padres, las nodrizas y las monjas, amaban libremente al hombre que codiciaban y habían aprendido a no esperar su regreso. Eran mujeres con la mirada lóbrega y las manos firmes, listas para curar enfermos o enterrar muertos, según lo quisiera la suerte.

Para la emboscada se prepararon dos grupos, uno estaría en la cima de las lomas y el otro escondido en la maleza, a ambos lados del camino real. Al partir, uno que había salido del convento invocó una bendición antes de la batalla. La mujer se me acercó y puso alrededor de mi cuello un cordón con una medalla de cobre. Era la Virgen de Oriente, protectora de los que salían a pelear.

Que no se te pierda, me dijo.

El primer disparo fue accidental y apurado, una bala mal nacida que se le clavó a un caballo en las ancas y lo desbocó. A partir de ahí todo fue improvisado, mal hecho, concebido por los demonios para que muchos padres sepultaran temprano a sus hijos. A la tropa que debíamos atacar, de unos cien hombres, se habían sumado tres pelotones que venían a reforzar las defensas del pueblo. Sus fusiles eran nuevos, de modelo reciente, mientras que los nuestros eran demasiado parsimoniosos para un tiroteo feroz como aquel.

Escuché el trompeteo apagado que llamaba a desenvainar los machetes y cargar a hierro limpio.

Mi último tiro pudo destrozarle el cráneo a un oficial, pero su ayudante logró rasparme el hombro de un sablazo. Cuando advertí el ataque, ya el negro lo había decapitado de un tajo, con la misma destreza con que hubiera desollado a un carnero.

Todos estábamos sangrando y tosiendo por la humareda de pólvora, pero aunque repartiera golpes y puñaladas nada podíamos hacer contra aquella partida bien armada, de soldados expertos, que luchaban serenos, como por deporte, contra aquellos niños de alcurnia que nunca habían probado el plomo de un militar.

Un jinete pasó el filo de su sable muy cerca de mi cuello, lo suficiente para lastimarme la nuca y cortar el cordón de la medalla. El redondel de cobre cayó entre la hierba y yo maldije mil veces al soldado, porque había jurado no perder aquella imagen.

La encontré, justo a tiempo para atravesar de un machetazo a mi atacante y dejarlo tieso, con mi arma clavada en su estómago.

No había más nada que hacer.

Me levanté del suelo y corrí hacia la maleza.

Entonces sentí el fogonazo de plomo y la quemadura del proyectil, caliente y metálico, lacerándome la clavícula.

—5—
La boca del infierno

Nadie recogió los cadáveres. Ni siquiera el mío, desangrándose sobre la hierba donde pasé muchas noches, apretando la medalla con una mano muerta, entumecida, mordida por las alimañas que huían al comprobar que mi carne aún estaba tibia. Nadie imagina lo que es presenciar la disolución de un cadáver, hasta que la cáscara se abre y deja salir al fantasma.

Mi propia herida, cicatrizada por la mordedura de las hormigas y ratones, se cansó de sangrar.

La noche en que pude levantarme me rodeaban solo huesos, ropas deshilachadas y machetes doblados por el óxido.

Del campamento no quedaba nada, solo un caldero demasiado pesado como para moverlo, con un fondo de cáscaras y agua de lluvia que devoré, famélico y triturado por la fatiga. Quise saber qué había sido de las mujeres, de mi mujer, pero no podía volver al pueblo. Solo quedaba andar, como siempre, hasta presentir la siguiente desgracia, incapaz de rezar por los muertos que cayeron conmigo, inútil para comprender por qué el tiro no había impactado más abajo y a la izquierda, para sacarme el espíritu de una vez.

Proseguí mi camino hacia el este y pude ver, escondida por la noche y la manigua, la procesión del viejo veguero. Es verdad que traían consigo una sombra con mi cara y, cuando esa presencia advertía la mía, miraba en dirección a mi escondite, como si adivinara mi contorno.

Corría entonces muy lejos, en cualquier dirección, para quitarme de la cabeza las sílabas de mi propio nombre, rítmicas, en-

63

dulzadas por el dolor, como una hechicería perniciosa que giraba en mi contra la rueda de la fortuna.

También tropecé con otros cortejos, incluso más extraños, de hombres y fantasmas juntos, que venían cargando el peso de sus ciudades. Caminaban con los pies ensangrentados por las piedras, y traían a sus espaldas muros enormes, niños, fogones, chimeneas, cacerolas, cruces y baúles, montículos de huesos de sus parientes y sacos de tierra consagrada, para garantizarles una buena muerte.

En varias ocasiones me confundí con ellos, porque les era semejante en apariencia y destino. Marchaban en silencio, pero pude interrogarlos sobre su exilio.

—No abandonamos nuestra ciudad —decían—. La llevamos bien doblada en nuestros cofres, como un tesoro o una maldición.

Pude contemplar la esterilidad de cada región que había sido desmantelada. Siempre el silencio, la tierra parda y reseca, la marca de los cimientos de un edificio o una lápida sin nombre.

—No iniciamos el viaje según nuestra voluntad. Un enjambre de avispas y hormigas rabiosas cayó sobre nosotros, destrozando los cultivos, mordiendo a los niños y provocando la infidelidad de las mujeres.

Encontré muchos grupos de viajeros, uno estaba conformado por tuertos, descabezados, cojos e inválidos, que gemían y arrastraban sus posesiones a lo largo de la vereda.

—Este era un pueblo de apostadores. No nos jugamos el alma sino las extremidades de nuestro cuerpo. Y el diablo es tramposo: lo perdimos todo en una pelea de gallos.

A muchos encontré que se habían gastado en el camino, y no quedaba de ellos sino un fantasma traslúcido, una sombra cristalina que se escurría entre las grietas de la tierra, muerta de cansancio o por decrepitud.

Fui a dar a un pueblo de adoquines quebrados y cabañas de madera, en cuyo centro se alzaba un campanario. Las mujeres vestían de negro riguroso, y se acodaban en las ventanas al verme pasar, como si nadie hubiera deambulado por aquellos callejones en muchos siglos. En la plaza de armas, un cura ensotanado hasta el gollete predicaba el fin del mundo.

—Hay que irse —gritaba—, antes de que la boca del infierno vuelva a abrirse y el fuego líquido se escurra bajo el fundamento de nuestras casas, quemando a nuestros niños y violando a las mujeres. ¡Miren! —dijo, y se levantó el sayón hasta las rodillas, mostrando unos dedos abrasados, prietos y consumidos— Yo mismo he padecido por causa de la verdad.

En una tarima de madera, dispuesta en el centro de la plaza, había sentado un hombre inmensamente gordo, al que dos muchachas refrescaban con pencas de guano.

—Les dirán que no es necesario partir, que no hay que buscar la tierra que nos fue prometida, como al pueblo elegido. Son gente que no teme por su alma, que solo piensa en el hartazgo y la lujuria de esta región maldita. Conciben pactos con el diablo y él les susurra blasfemias, para que todos se pierdan. El orden demoníaco ha reclamado para sí esta tierra, estas almas y estos niños, para que sean iniciados antes de tiempo en la eterna condenación.

El hombre gordo se había quedado dormido, y una de las mujeres trató de despertarlo rozándolo suavemente con el guano, pero nada sucedió. El sacerdote, mientras tanto, se había rasgado las vestiduras para desafiar a los demonios y parecía a punto de vomitar fuego.

—El que tenga oídos —tronó— que recoja los muros de su casa, la llave de las puertas, los restos de sus antepasados y que envuelva todo en una sábana fuerte, para iniciar la gran marcha.

Descubrí que el hombre gordo era el gobernador del pueblo y le fui a pedir alimento y refugio para pasar la noche. Me invitó a comer a su casa, en cuyas paredes había colgados arcabuces, sables y ballestas, además de cornamentas de venado y un escudo de caoba, barnizado y renegrido por el salitre.

El gobernador me pidió sentarme a su derecha, en una mesa amplia alrededor de la cual se habían congregado muchas mujeres y algunos niños. Sus criados se aproximaron con bandejas de carne aporreada, langostinos, ostras, ajiaco condimentado con limón y ají, aguardiente, vino de la tierra y cántaros de agua.

Los ojos exiguos y muy negros del gobernador me sondeaban continuamente, como si la cara de un hombre bastara para revelar sus lealtades.

—Ustedes tienen a un santo de párroco —dije—. Aunque es fácil para los locos aparentar santidad.

—No quisiera arrancar el sollate a nuestro reverendo padre, pero Dios conoce cuántas veces le he implorado que se resbale en un escalón del templo o que perezca en un incendio incontrolable, o tal vez que se le clave en la costillas una flecha de cazador, mientras reza el oficio de vísperas en el monte. Pero el buen hombre se encuentra fajado por Dios o por el diablo, porque nunca he encontrado el momento correcto para azuzarle los perros de la muerte.

—¿Es verdad que aquí cerca está la boca del infierno?

—No lo sé y tampoco me importa. Me interesan los cultivos de estos campos, que son fértiles. Los bosques, que alimentan con buena madera al astillero que tengo por la costa. Me interesa el cobre, el hierro, las piedras de nuestras canteras, me interesa hacerles hijos a todas las mujeres que aquí ves, para que mi descendencia eche raíces en esta tierra y la multiplique, y la haga prosperar. Me interesa la vida, la comida, el tabaco, mis mujeres, mis armas y mi linaje.

—¿Por qué no se va el cura, si tiene tanto miedo?

—Dice que le han hablado los ángeles para hacerlo depositario de una profecía: ha de cargar el destino de nuestras trescientas almas a su cuidado y salvarlas de las legiones infernales que nos acosan.

—¿La gente lo escucha?

—La gente tiene miedo, porque oye gritos en las calles, bien entrada la madrugada, y dicen que son los fantasmas de las vírgenes que murieron sin marido, el llanto de los niños sin bautizar, esclavos angustiados por una gran pena, que imploran justicia o venganza. Me tocó regir un pueblo de cobardes.

El gobernador tomó una costilla de cerdo y la quebró como si fuera un listón de madera.

—En otro tiempo hubiera cebado bien el arcabuz y le hubiera llenado la boca de plomo y pólvora, con un solo fogonazo, para hacerlo callar por siempre.

Los movimientos del hombre en la mesa me eran familiares, como si los conociera de otra vida, los dedos grasientos, la manera de tocar a sus mujeres, la dentadura pastosa y amarilla. Pero sobre todo las cuencas ojerosas, portadoras de pupilas como las de un buitre, que vigilaban continuamente en cuál de sus hembras se fijaba mi vista.

La tea comunicó al tabaco su candela dócil, y mi lengua pudo sorber de nuevo su gusto amargo, picante, como el sexo de las mujeres en Cabo Lagarto. Habían colado un café que fue posible endulzar con miel de la región.

—Todo aquí es bueno, generoso con el hombre. El mar nos da su brisa y el sol no se ensaña con la tierra. No recordamos el poder destructor del huracán y la naturaleza no colmó los montes de alimañas ni de víboras —el gobernador absorbió el tabaco como si fuera capaz de acumular todo su fuego en la bolsa de sus entrañas—. Esta es la tierra prometida, lo demás es el exilio, la esterilidad y la muerte.

—Hacía mucho tiempo que no degustaba un tabaco decente.

El elogio no tuvo ningún efecto en él. Miraba un punto indefinido del espacio, entre las humaredas, con infinito odio.

—El que se empeña en profanar con maldiciones la tierra por la que tanto hemos sudado no es nuestro amigo, es el verdadero diablo. No nos quiere bien. Trabaja por nuestra destrucción y se regodea en nuestra fatiga.

—¿Dónde quiere el cura fundar la nueva ciudad?

—Lejos de la costa, al amparo de los demonios y los piratas. Ignoro por qué ve maldad en este territorio. Todo pueblo tiene su matrícula de fantasmas.

—Este es un pueblo muy viejo. Deben atormentarlo muchos espíritus inmundos.

—Los tiene, pero al peor de todos yo mismo lo expulsé antes de que llegara este cura o cualquier otro a quitarnos la paz —sus manos rollizas aplastaron el cabo aún encendido y lo arrojaron lejos, como quien se libera de un insulto—. Conquistamos juntos esta tierra. Juntos juramos defenderla. Juntos amamos a una misma mujer y nos peleamos por ella, hasta que no vimos otra solución que despeñarla en esa cueva infeliz donde el cura dice que se hospedan los demonios. Amamos, enriquecimos y violamos a las mujeres de la región. Abrazamos sin miedo las blasfemias antiguas, los embrujos de los indios, la magia portentosa de sus hechiceros.

—¿Cómo se libró de él?

—Hubo una guerra y aparejamos nuestros ejércitos. Cada uno combatió con valentía y astucia, pero yo gané. Él sabía que los diablos se compadecen del vencido, y por eso me arrojó una maldición: comer, beber, sucumbir a toda clase de lujurias y placeres, y que mi cuerpo no pudiera hallar satisfacción en nada. Todo se cumplió y este cuerpo que ves aquí es el de un hombre incapaz de distinguir sabores, que no encuentra goce en las mujeres y no disfruta el resultado de sus batallas. Un destino cruel, aunque digno de un soldado.

—Y mejor que la muerte. ¿Qué fue del vencido?

—También fue víctima de un maleficio —el gobernador hizo una gran pausa y cerró los ojos, como si pudiera ver el paradero de su enemigo mediante una clarividencia rencorosa—. Mandé que todos los animales del mundo impidieran que él tomara alimento. Debe ser un anciano consumido, un fantasma casi, con el pellejo bien apretado a los huesos. Desterrado en un antiguo monasterio, los frailes tienen órdenes de servirles suntuosos manjares todos los días. Si algún día el rompe el sello de su embrujo y se atreve a comer, vendrán todas las criaturas a devorarlo. Cuando llegue ese día completaré mi victoria sobre ese diablo viejo.

Dormí en el establo, entre los cascos y relinchos de los caballos, agitados por algún viento siniestro. No podía conciliar el sueño, y cuando lo hice se apoderaron de mí muchos espejismos. Regresé al hotel derruido, al monasterio, al paraíso perdido y machacado por el huracán, y no se apartaba de mi vista el esqueleto encorvado del viejo, su barba seca como una enredadera, las sabandijas que le corroían el alma. Su voz ronca, ominosa. Declaro aquí y ahora que el que me maldijo va a padecer un destino más cruel que el mío. Las palabras se diluían en el líquido de mi memoria, en el dolor de mis entrañas, y ni siquiera me sorprendió la multitud de manos que me tocaron en la oscuridad, anhelando mi respiración, mis movimientos. Pero yo no era distinto de un cadáver. Escuchaba el sonido de la noche, el grito de los espíritus, el ahogo de las mujeres del gobernador raspando y profanando mi cuerpo. Y nada de eso me entraba por los sentidos: la maldición del muerto, el embrujo que aniquilaba el placer, las ganas de vivir, me contaminaba también a mí, a la casa y aquella tierra donde pernoctaban los demonios.

El alba no fue anunciada por un gallo sino por el ulular opresivo de una lechuza. Era el presagio de una desgracia, y por eso me erguí pronto sobre mis huesos, alerta, solitario y manchado por el sudor ajeno. Los criados de la cuadra entraron a preparar los caballos. Cuando salí del cobertizo, vi cómo el gobernador trataba de subir a un potro robusto, con el auxilio de dos mozos. Vestía una armadura broncínea pero bien pulida, y se apoyaba en una pica larga y de punta sanguinolenta.

Lo acompañaba el sacerdote, trepado en una rocín ceniciento y bermejo, y una cuadrilla de jinetes armados de arcabuces, hachas y toledanas. La armadura de todos era opaca, esmerilada, como si no hubieran trabado combate en largo tiempo.

Les pregunté adónde se dirigían.

—El último día del mes —dijo el gobernador— lo consagramos a la santa cruzada contra los diablos de la cueva, a petición de nuestro presbítero y exorcista mayor.

—He mandado que te preparen una cabalgadura. Está previsto que los extraños sean los primeros en batirse con el enemigo malo.

—Hay también otro asunto —anunció el gobernador, sombrío— de no menos envergadura.

—¿De qué se trata?

—Unos carpinteros avistaron una balandra filibustera trasladándose a barlovento, hacia algún punto de la cayería. He puesto a mis hombres sobre aviso, porque pueden caer sobre la ciudad.

—A los piratas se les puede matar con hierro o con pólvora —el cura se persignó discretamente—, pero el demonio no muere y cuando se marcha trae a otros siete peores que él.

—Me ha sido encargado vigilar el reino de este mundo, reverendo padre —el gobernador, acomodado sobre el caballo, le hincó el costado con las espuelas y comenzó a cabalgar—, de la región del Maligno ocúpese usted.

Afinqué mis piernas sobre el potro que me dieron, un alazán con las patas rápidas y dóciles, y me uní a la partida. Hicimos reconocimiento de la costa para ver si había señales de los piratas. El pueblo había padecido tres veces el asedio de los franceses y cada cincuenta años un nuevo bucanero destruía en tres días lo que habían tardado medio siglo en levantar.

Un pescador de ostras dio indicaciones sobre sus coordenadas, pero nadie lo tuvo en cuenta. Los piratas sobornaban a los paisanos con tal de distraer a la milicia de la villa y así poder tomar la plaza antes mientras la soldadesca se hallara lejos.

Lo más probable era que hubieran desarbolado la balandra para esconderla en alguno de los cayos cercanos, descansando y haciendo aguada, para navegar antes de la aurora hasta la costa próxima al pueblo.

—En ese caso —dijo el sacerdote—. Podremos reanudar la persecución de los diablos y dejar la de los hombres para un momento más propicio.

El gobernador remontó el camino hasta la boca del infierno, blasfemando sobre el nombre del cura, y sus los jinetes lo siguieron.

Era una caverna de boca angosta, con un vestíbulo umbroso y tapado por lianas y musgo. En las paredes había antiguas pinturas, círculos que se multiplicaban y lo cubrían todo, hasta que las ondas de uno alcanzaban el canto de otro, trazados con una tinta rojiza, semejante a la sangre. Aquellas marcas debían ser las señales de los indios, que ya tenían trato con los demonios antes de conocer la fe ultramarina.

—No importa el origen de los signos, sino su utilidad —dijo el cura—. Mediante estos trazos los paganos se comunicaban con el otro mundo, y por eso estas marcas deben ser borradas antes de que sigan invocando sobre nosotros el mal.

Caminamos dentro de la cueva, alumbrados por candelas y por el disparo de los arcabuces buscando la profundidad de los pasadizos. En cada galería se abrían nuevos símbolos. En su lenguaje ignorante de la escritura, los indios habían relatado sus guerras contra el huracán, el veneno, las inundaciones, el hambre, la dentadura y el arma de los enemigos, el largo viaje en canoa por aquel mar traicionero que era solo suyo, antes de que se atestara de castillos flotantes, oro y cañonazos.

Llegamos a un risco dentado de piedras, que a la luz de las antorchas parecía el abismo infernal.

—Hemos llegado al corazón de la caverna —el cura apretó los ojos y desenvainó su toledana—. Aquí se puede sentir el gemido de terror de los demonios.

El gobernador se retrasaba, aquejado por el peso de su armadura, tosiendo y escupiendo su ahogo sobre el suelo del corredor.

—Es la hora de cerrar la boca de los infiernos del modo en que nos ha sido revelado.

Por los nervios de uno de los hombres, el más joven, que dejó caer su arma mientras desanudaba una soga, supe que el peligro venía una vez más sobre mí. La muerte coqueta y retozona. Pero yo había aprendido ya a tenerle confianza a mi destino, y sabía que mi fin no estaba escrito en los muros de aquella caverna.

—Sé que me van a matar —dije—. Pero deben entender que si me destruyes la perdición caerá sobre ustedes, y yo no voy a cargar con más difuntos en mi memoria.

—Cuando termine de hablar —el cura había penetrado en una especie de trance, como si los ángeles le dictaran cada palabra— tú no padecerás más la maldición de la memoria.

El soldado ató un nudo firme alrededor de mis puños, mientras el sacerdote pronunciaba su discurso fúnebre.

—El día que tú llegaste recibimos el aviso de dos fantasmas. Aniquilaste a un soldado muy querido, que llegó a estas costas con nosotros y aprendió de los indios el secreto de la hoja sagrada, profanaste su casa y malgastaste su hacienda, traicionaste su bondad. Su cortejo funerario, sus amadas nietas, los que lo acompañaron en su camino por esta vida, pronunciaron las letras de tu nombre como el peor de los sortilegios —el sacerdote sostuvo la cruz entre sus manos—. Ni siquiera las dominaciones y potestades serán capaces de librarte de esa palabra fatal, que ha tomado la forma de un espectro sanguinario, que te busca en sus sueños y te conoce mejor que tú mismo.

El gobernador se había arrancado la coraza de la armadura, para poder respirar.

—El otro muerto fue el viejo que dejaste morir en el convento —dijo, transpirando ríos de sudor y sangre—. Nos contó cómo te había instruido en los misterios del cosmos, cómo te llenó de un conocimiento que rechazaste. Él, experto en maldiciones por soportar la peor de ellas, nos indicó el modo de entregarte a los diablos, para que te devoren y tengan paz.

—Morirás aquí, aunque te le hayas resbalado a la muerte tantas veces. Ahora estás tú y el abismo, y nadie puede sobrevivir a esta cueva. ¡Mira!

El dedo del cura señalaba la corriente vertiginosa del río, el filo de las piedras, la hondura de la garganta maligna que esperaba al final del túnel.

—¿Qué será del pueblo? —pregunté— ¿Dejarán que soporte el peso de mi muerte?

—No nos importa tu muerte. Se cumplirá lo que tenga que cumplirse. En nosotros, en nuestros hijos, y en los hijos de nuestros hijos.

—Que así sea —dije, y brotaron de mí las palabras que se habían encharcado en mi garganta desde la noche anterior, esperando el momento apropiado para invocar su asistencia—. Declaro aquí y ahora que el que me maldijo va a padecer un destino más cruel que el mío.

Y ante la cara atónita del cura, el gobernador y los soldados, me arrojé yo mismo a las entrañas del infierno.

—6—

Perros de mar

Estuve dormido por largo tiempo, esperando la acometida de los demonios, las mordidas y garras de miles de dragones, cíclopes, mastines carniceros, el filo de las cuchillas y lanzas de fuego. Entonces sentí la humedad clavarse en mis entrañas, hasta volverlas frías, como los ojos plateados de mi padre. Escuché su voz más próxima, más lúcida, como arena que llena la boca y pudre los dientes. La presentí vibrante y sólida, como quien da una orden. No te mueras, despiértate, sal de la oscuridad donde te pueden devorar los saurios marinos y los pulpos de tentáculos pegajosos como dedos de vieja.

Me golpeé con la arista de un diente de piedra, luego otro cambió el rumbo de mi travesía, hasta que sentí un descenso a lo hondo, más frío que las antípodas de la tierra, triturándome dentro de la corriente como un simple madero de naufragio.

Vomité sobre la tierra todas mis palabras, los insectos, la cáscara de las viandas podridas, la ceniza de los tabacos, la bilis de la maldición recién pronunciada. Cuando me vacié completamente volví a caer dentro del sueño, no sé cuántos días. O cuántos siglos.

Al amanecer, el mundo se movía de modo distinto. Las esferas giraban mientras yo permanecía fijo, con la espalda agarrotada por el dolor y los espasmos. Cayos, islotes, manchas de algas, continentes enteros de caguaritas y cangrejos traslúcidos, cabezos tan afilados que parecían de cristal o de diamante, emergiendo de las aguas como almenas de una fortaleza.

Estaba sometido a la oscilación de un barco.

—Nadie nos vio venir. Caímos sobre el pueblo con la furia de mil diablos. Repartimos dinero entre los pescadores, los campesinos, los buscadores de sal. Sobornamos a sus propios soldados. Nadie los defendió, como si un maleficio desconocido les amarrara los brazos a los vecinos.

—¿Cuándo sucedió todo esto?

En el horizonte se elevaba la humareda de un incendio y el campanario del pueblo era como un gran faro decapitado.

—Anoche o antes de anoche. Mandamos al último grupo a recoger despojos y baúles secretos, pero ya deben estar regresando.

Me poseyó una fatiga infinita, pero juré que no cargaría con la desaparición de la villa sobre mi conciencia. La maldición, la destrucción, la muerte, fueron invocadas por el gobernador y por el cura, según su voluntad.

—La guardia del gobernador —dijo el hombre— nos dio bastante guerra, enfundados en sus corazas y artillados como Dios manda. Mientras que nosotros mira cómo andamos.

Era un tipo huesudo y curtido por el salitre, con un calembé cubriéndole las partes y un harapo de camisa. Llevaba una navaja asturiana acordonada en la cintura.

—Ellos estaban advertidos —dije—, alguien vio la arboladura acercarse a la costa, como las banderas de la muerte.

—Todo había sido concebido en detalle por el capitán. Todo fue calculado con tal claridad, que más de uno creyó que los consejeros del barco habían sido poseídos por fuerzas malévolas.

—No necesitamos a los diablos para dominar la muerte y la violencia. Nos pertenecen tanto como a los inquilinos del infierno. ¿Dónde me recogieron?

El marino se rascó las orejas, corroídas por la sarna, y señaló un punto de la costa pedregosa.

—Ahí está la boca de una cueva donde a veces nos refrescamos. Siempre hay uno de los nuestros haciendo guardia en el interior. Ninguno entiende cómo entraste, hasta que se dijo que el único modo era una corriente subterránea. Nadie remontó nunca el curso de ese río, nadie se imaginaba adónde iba a parar.

—Iba a parar a la muerte. Pero esa es una hembra que no me quiere bien.

—Alégrate —dijo, abriendo una mueca desdentada—. Ya quisieran los veinte hombres que perdimos ayer, machacados por el arcabuz y las puñaladas, decir lo mismo.

—Hacia dónde se dirige este barco.

La mueca se borró, el marino apretó los ojos y cerró la boca.

—Amigo, eso tendrás que preguntárselo tú mismo al capitán. No hay nada más nocivo para un hombre de mar que tener la lengua suelta.

Seguí pendiente a la singladura del barco, que ya se alejaba de la costa hacia alta mar. Los piratas no me trataban como un prisionero, me alimentaron durante algunos días y dejaron que descansara. Al cabo de una semana comencé a limpiar la cubierta y a desconchar la costra del casco. Hacía guardia y pasaba las noches adivinando constelaciones o acodado en el barandal del castillo de proa.

Al mes de navegar a bordo de la balandra, el capitán me mandó a llamar.

No era holandés ni bretón sino criollo, hijo del pueblo que había quemado y masacrado. La cámara era simple, con los utensilios elementales sobre la mesa de derrota y algunos sables enganchados en la madera. Hablaba bajo, como si le fallara la respiración, y sorbía aguardiente de una jícara.

—¿Sabes de quién era esta armadura?

La coraza hinchada y de doble forro, las placas inmensas, el yelmo abollado y desprotegido en la garganta, inútil ante una cuchillada fulminante o una ballesta bien cebada.

—Cuando le disparé me quedó la picazón en la mano, y supe que le había atravesado la garganta.

—Era un hombre perverso.

—Era un hombre maldito. Había alargado su vida de forma innatural. Formaba parte de una estirpe endiablada, genitora de hijos torcidos y violadores de vírgenes. Cuando lo maté se agitó como una caguama herida, vomitando blasfemias. Llevaba años afilando la flecha que le dio muerte, ahí la tienes. Era una saeta con punta de hierro, a la que no habían lavado la sangre.

—Sortilegios de muchas religiones fueron necesarios para bendecir el filo y la puntería de esa arma. No podía fallar.

—¿El cura murió también?

—Un balazo se le alojó en los riñones y en la cuenca de los ojos.

—¿Las mujeres, los niños, los inválidos?

—Una guerra es una guerra.

Incluso cuando las palabras me protegieran de la culpa, si cerraba los ojos podía ver a los fantasmas del pueblo ganando el monte, los ríos, las llanuras resecas, en busca de una paz que no podrían encontrar jamás.

—He sabido de tus caminos y los dolores que has pasado. Además, llevas demasiados cadáveres amarrados a la espalda, se te nota en las ojeras y en la forma de tus costillas.

—¿También usted habla con los espíritus, capitán?

—No, pero soy un hombre de mar. Conozco la utilidad, a bordo de un navío, de uno al que la muerte no estima. Tu presencia espanta los malos presagios y el peligro de perecer.

—Al contrario, capitán. La muerte se regodea en aniquilarlo todo a mi alrededor. No soporta verme vivir, comer, tocar y amar a las mujeres, no soporta mi voz.

—Eso te pasaba en tierra, todo es distinto en el mar.

—Puedo seguir a bordo, pero bajo el juramento de que no se me cargará con la perdición o la mala fortuna de la nave.

—Palabra de perro viejo —dijo el capitán, estrechando mi mano—. Palabra de hombre cansado.

La regla secular de los piratas prohibía a las mujeres habitar un bajel. Las hembras eran criaturas de tierra firme o carne de prostíbulo, en el sencillo código de aquellos hombres. La mujer traía perdición, superstición, codicia. Los tres enemigos del marino.

Sin embargo, en las cocinas de la balandra había una vieja cuyo pellejo se plegaba muchas veces sobre sus huesos. Iba a veces a la cámara de derrota y manejaba algunos mapas, señalaba el curso de la nave y aconsejaba secretamente al capitán.

Su presencia era callada, benévola, y tenía para ella un camarote repleto de hierbas y pomadas, que aplicaba sobre heridos y moribundos. Se acudía a ella para comer, para morir o para ser curado. Era la acompañante de todos para atravesar el umbral de la muerte, cuando un cañonazo o el vómito negro trituraban el cuerpo y diluían el alma del navegante.

—Pero a mí me da mala espina —decía el marinero sarnoso y sonriente—. Distribuye sanación a quien quiere. A mí nunca me curó la piel, porque me odia. Disfruta ver cómo la enfermedad me va comiendo.

Era cierto, durante las primeras semanas a bordo, la vieja evitó reunirse conmigo y esquivaba mi presencia cuando me veía con el capitán.

De alguna manera, adivinaba que mi estadía iba a resultar perniciosa para la tripulación, y me lo hizo saber una madrugada, cuando clavó sus ojos borrosos en el cielo, como si me comunicara un vaticinio.

—Ahora tu maldición está sellada —dijo—, porque avanzamos sobre las aguas y el mar apaga todos los rencores de la muerte. Pero en cuanto avances con los nuestros a tierra firme, la ira de la fortuna caerá sobre este barco, y ya será muy tarde para marcharse.

—Llegaré con ustedes hasta los mares de Oriente. Allí me bajaré y no me volverán a ver.

—Debes bajarte ya, la próxima vez que anclemos. De lo contrario no habrá salvación.

—Haré lo que me ordene mi capitán —la vieja ahora me miraba a mí, desafiante, con sus córneas acuosas y amarillentas—. Que es también el tuyo.

No volví a hablar con ella en mucho tiempo, excepto cuando le llevaba algún recado del capitán, que me mantenía a su lado como un talismán o un ángel custodio. Yo no ignoraba cuánto pesaban las palabras de la anciana, y tenía en cuenta que aquel barco navegaba más cerca de la perdición cuanto más tiempo me mantuviera a bordo. Pero era mi único modo de viajar al este, sin complicaciones ni mayores desastres. Y era cierto que el mar aplacaba la saña de la suerte, o por lo menos retrasaba su navajazo.

La próxima operación de los piratas sería caer sobre una villa nueva pero bien artillada. Había escapado de la costa para refugiarse en el centro de la región, en un llano fértil y de ríos caudalosos, donde se había llevado a cabo una gran matanza de indios cuya sangre protegía la ciudad. Se decía que la disposición de las calles respondía a un trazado engañoso, y que sus ingenieros y constructores habían planificado ese laberinto de ladrillos con un solo propósito: acorralar y masacrar a quien se atreviera a invadirla.

Pero el capitán estaba en posesión de una serie de mapas dibujados por un espía, y había pagado mucho oro por conocer el derrotero de aquellas avenidas y el talante de sus moradores.

No obstante, el día del ataque amaneció aquejado de unas fiebres y con la piel ambarina, y tuvo que delegar el caudillaje de la maniobra en su primer oficial. Como en el ataque a la villa de los demonios, el plan había sido maquinado con minuciosidad, previendo el ritmo y la firmeza del golpe. Se habían preparado unas carretas sobre las lanchas, para cargar los despojos del ataque, y la balandra se había ocultado en un lugar boscoso de la ensenada.

Los botes se movían en la madrugada como largos insectos acuáticos, hasta que anclamos en la costa y comenzamos a avanzar hasta la ciudad, lúcidos y sin un ápice de miedo. Las fuerzas de una villa que nace siempre son escuálidas e, incluso antes de trabar combate, ya están fatigadas por el viaje y la fundación.

Tardamos día y medio en completar la caminata.

En una loma, a punto de caer sobre el pueblo, cebamos los arcabuces y preparamos los morteros que iban a derribar los dos torreones que guardaban la puerta de la villa.

No hubo resistencia al fogonazo nocturno: las estructuras de la muralla fueron destrozadas con tanta facilidad que parecían fabricadas con cera y ceniza. Se abrió una brecha por la cual pudimos cargar, sable y pistola en mano, por las callejuelas quebradas.

No había un alma en la ciudad.

Los habitantes, como ocurría en tantos lugares, habrían tenido aviso de nuestro ataque y, con más aprecio por su vida que por sus posesiones, se marcharían seguramente a los bosques.

La ciudad tenía múltiples entradas, pero una de ellas nos condujo sin dificultad hasta la iglesia, en cuyas bóvedas se encontraba el tesoro que veíamos buscando. Todo lo que pudiéramos robar de la villa palidecía ante la grandeza de este artefacto, encargado por un terrateniente para homenajear a un hijo muerto. No entendí la majestad del botín hasta que vi cómo hicieron falta ocho hombres, doblados por el esfuerzo, para levantarlo.

Era un sarcófago labrado en plata pura, en cuyo estómago, en lugar de cargar al nazareno, el obispo había ocultado miles de doblones, cálices y piedras preciosas. Trataron de abrirlo con palancas y sables, pero no pudieron quebrantar la tapa. Se dieron órdenes de cargarlo y salir de la ciudad. Ya habría tiempo de contar tesoros sin el peligro de una venganza.

La procesión del ataúd era en verdad magnífica, parecida a las marchas de semana santa o a una ceremonia maligna. Los ocho hombres cargaban el ataúd entre risas, gritos y cantos burlescos, mientras que los demás llevábamos las espadas desenvainadas en una mano y unas antorchas altas y vehementes en la otra. Las llamaradas quemaban los tejados, las rejas de los ventanales, los campanarios y farolas.

Caminaba con ellos como poseso de un trance, alegre, porque el fuego había sustituido a la sangre, y los hombres se daban por satisfechos con los caudales del sarcófago.

El primer cañonazo vino de lejos y mató a cuatro hombres. Lo habían disparado desde una mampara abierta, discreta como las portas de un navío. La otra bomba cayó más cerca. La tercera hizo correr a casi todos los piratas, pero tuvieron que retroceder de inmediato. Las milicias del pueblo, auxiliadas por cientos de sombras cuya procedencia no se conocía, vinieron corriendo por las calles y se quedaron en silencio, reteniendo con picas de alcance largo a los invasores.

El regidor del pueblo salió de la multitud y habló.

—Eso que llevan ahí —dijo, apuntando al ataúd de plata— no es nuestro tesoro sino el suyo, que ha caído en desgracia.

Al instante, como si el peso de la caja se hubiera hecho insoportable, los estibadores soltaron el sarcófago. Cayó sobre los adoquines de la ciudad con un golpe tan espantoso que destrabó la tapa, y de la sepultura abierta no salió el brillo del oro sino un vapor verdoso y putrefacto. En lugar de tesoros, lo que había dentro del ataúd era el cuerpo de nuestro capitán, hinchado por la muerte y comido por los cangrejos.

La persecución por las calles de la ciudad reveló la verdadera condición del laberinto. No había casa que no estuviera tapiada o cegada por falsas puertas, las avenidas se bifurcaban y refundían. Había parajes repetitivos, plazas gemelas, señales tramposas. Indicaciones de muerte y perdición en cada esquina, multiplicada en cuatro o cinco callejones a modo de espejo. Al final de cada uno esperaba la muerte, bajo la forma de una partida de arcabuceros o indios flecheros.

Sobre el grupo que iba conmigo cayó una turba de trece negros armados de machetes, que apuñalaron a mis compañeros y de los cuales pude huir trepando por los tejados.

Solo allí, oculto por la madrugada y la altura, me fue posible descifrar el dédalo. En mi cabeza tracé la ruta de la escapatoria, mientras veía las humaredas y chisporroteos de la pólvora por cada camino del pueblo. Me dejé caer por una tapia donde estaba apostado un guardia, lo acuchillé y me fui escurriendo hacia una de las vías libres de peligro.

Estaba cerca de la muralla cuando comenzaron a ladrarme unos mastines de caza, de patas robustas y dentadura espumosa. Alarmados por el ladrido, una partida de soldados comenzó a perseguirme. Pero logré salir de la ciudad, herido por un disparo en la cadera y hostigado aún por uno de los perros, al que decapité de un sablazo.

De los ciento cuarenta hombres que tomaron parte en la invasión retornaron a la nave veinticinco, malheridos o asaetados por sus perseguidores. Dos lanchas bastaron para traerlos de vuelta a la balandra, en cuya cubierta cayeron ensangrentados, implorando el auxilio de la vieja. A mi lado, el marino sarnoso vociferaba juramentos en muchas lenguas y maldecía a la anciana, que lo atendió en último lugar.

Cuando las manos de la vieja lograron extraer la punta de hierro que se le había clavado en el estómago, el hombre escupió su última blasfemia junto a un buche de sangre, negro y final.

Luego llegó mi turno.

—Te advertí lo que nos esperaba —dijo—. Y verte aquí me inspira nuevos terrores.

—¿Cómo murió el capitán?

—Nadie sabe, ni su escolta, que no se movió de la puerta de su camarote. Ni yo, que me quedé dormida sobre la mesa de derrota.

—Iba dentro del sarcófago de plata.

—Solo pudo ser obra de espíritus inmundos. Recuerdo unas sombras sobre las olas, un buque fantasma, un cañonazo seco y sordo sobre la cubierta. Cuando grité para prevenir a los guardias ya se habían llevado el cuerpo de la hamaca.

Cerré los ojos y vi el diseño de la ciudad, como si yo fuera un buitre que volara sobre ella.

—Te tienes que ir —suplicó la vieja—. En este barco van dos hijos míos, y por tu mala fortuna murió un tercero en el asedio. Aplacaré la infección de tu herida y te daré provisiones para dos semanas.

—Tomaré una de las lanchas. Me iré a primera hora de la mañana. Ahora tengo que descansar.

Pero la vieja no pudo colocarme sus ungüentos, porque en todo el barco tronó el zafarrancho de combate.

Un navío, dos balandras y algunas lanchas se acercaban por sotavento a darnos cacería.

Los marineros que podían trabajar comenzaron a elevar anclas y a manejar la balandra hasta ganar el mar abierto. El navío era muy pesado para alcanzarnos de inmediato, y ninguna de las otras embarcaciones se atrevió a atacar por su cuenta. Demorarían algunas horas en lograr una posición óptima para cañonear nuestra nave.

La tripulación penetró en la bruma de la mañana con alivio, fajados por la niebla y con el viento a favor.

—El capitán no se equivocaba —dijo la vieja—. La muerte no quiere que te mueras en el mar.

Las aguas del principio

La balandra reptaba sin mapas ni ruta por aquel mar plomizo, borrascoso, siguiendo las constelaciones de Oriente. Se movía con fatiga, como un animal moribundo, mientras los marineros sanos baldeaban la sangre de la cubierta y arrojaban los cadáveres por la borda, que era la sepultura más decente a la que podían aspirar nuestros difuntos. Cada muerto que caía al agua nos reclamaba venganza pero se disolvía rápidamente, porque el salitre gasta a los fantasmas y los arrastra al fondo del mar.

La tripulación estaba dividida en dos facciones. Algunos querían ir a La Tortuga o alguno de los islotes vecinos, donde los bucaneros se congregan y reparan sus naves. Otros preferían volver a la ensenada de donde habían salido, en busca de unos bastimentos que tenían escondidos en la cueva. Ante los peligros de la isla, optaron por fijar rumbo hacia las madrigueras de piratas en el este, para calafatear las rajaduras del barco y encontrar nuevos candidatos dispuestos a enrolarse como parte de la tripulación.

Mientras tanto, el barco se aproximaba a la costa oriental, donde quería descender yo para evitarles más desgracias a aquellos marineros.

Todas las noches, el vigía fijaba sus ojos ásperos y colorados en la traza del barco, o en el horizonte. Su miedo y el poco dormir a veces tomaban la forma de un velero perseguidor, envuelto como nosotros en la niebla, que pronto se diluía en las pesadillas del navegante.

Al tercer día, el tambor vibró nuevamente con fiereza. La niebla que nos cubría se había derretido sobre las aguas, a causa del sol rampante de Oriente, y ahora el centinela podía advertir con toda claridad la causa de su mal sueño. El navío, las balandras y algunas fragatas mercenarias daban alcance a nuestra nave con rapidez demoníaca.

Fallaron varios cañonazos, pero uno de ellos agujereó la vela mesana y mató a dos marineros cerca de la escotera.

Había pocos artilleros y solo doce cañones, funcionando mal. La niebla le había arrebatado el vigor a la pólvora y provocaba ahogo y neumonías a los tripulantes, que no eran capaces de apuntar bien al rostro del enemigo.

Un balazo se clavó en el palo mayor y destrozó la arboladura, dejando el movimiento de la balandra a la mano de Dios. Sin la vela no habría escapatoria posible de la batalla, y los perseguidores disparaban a matar, no pretendían capturar el barco sino hundirlo con todos sus perros dentro.

La escuadra enemiga fue acorralándonos por ambos costados, disparando su metralla con ímpetu, afilada y encendida como los dientes del diablo. Los piratas comenzaron a arrojarse al mar, que se convirtió en un caldo de sangre y astillas de madera, pero los fusileros los remataban con un plomazo certero, en la tapa del cráneo.

La vieja se había trancado en su camarote de yerbajos y remedios, postrada delante de un altar a la Virgen del Carmen. Pero no sirvió de nada, encima de nosotros, para colmo de desgracias, se fueron apelotonando nubarrones prietos, eléctricos y cargados. Y a pesar de que un relámpago partió a la mitad el casco de una de las balandras, nuestro barco continuaba sometido a la descarga incesante de hierro y fuego.

Cayó la tempestad con todo su ímpetu, con una lluvia tan densa que impedía la visión y apagaba la lumbre de las escopetas.

La corriente comenzó a desordenar la formación de los navíos, y las proas se hundieron como largos picos de madera sobre la carne de los marineros. Nuestro barco sufrió el impacto de una de las fragatas, que se despedazó mordiendo el castillo de popa con todos los tripulantes que allí estaban.

La balandra, junto a sus hermanos de naufragio, inició su hundimiento como si pataleara en arena movediza. Miraba con la proa al corazón de la tormenta, para maldecir al cielo y a la tempestad con su voz quebrada de maquinaria, adentrándose con lentitud en las aguas alborotadas y negras del océano.

Me aferré a una de las lanchas, pero se fue a pique. Lo mismo hice con un cadáver, con un tablón y un cofre, pero obtuve el mismo resultado. Logré cazar un fragmento del mástil, que se me escapaba de las manos, lo monté y lo apreté con las uñas, porque ya estaba casi asfixiado por el salitre y el hambre.

El espectáculo de los navíos destrozados, después de que la tormenta se calmara, me llenaba de nueva fatiga y pensé allí mismo, por primera vez, si no era más fácil liberarse de la balsa improvisada, caer al mar, dejarse derrotar por fin.

Allí me hice uno con la madera. El sol me fundió la sal en la piel de tal modo que sentía crecer la costra blanquecina, dura, dentro y fuera de los huesos. Eso me impidió caerme y morir de una vez, masticado por los tiburones.

Pensé en la vieja, en mi padre, en el sarcófago de plata, en la procesión del veguero, con el muerto que se parecía a mí, pensé en las mujeres, los tabacos, la armadura vacía y enorme como un esqueleto de caguama, y todas las maldiciones que se acumulaban entre mis vértebras, encorvándome como una raíz podrida.

Las alimañas marinas volvieron a hacer de mi cuerpo su casa, como cuando naufragué en Cabo Lagarto. Sobre la masa de algas y las placas de salitre y suciedad, cangrejos pardos y mínimos trataban de alimentarse y sobrevivir. Yo era un muerto, una isla, una cosa nuevamente, sin más vida que el hilo de aire que me separaba de la muerte.

Me despertaron las cuchillas, raspando la costra, las manos ásperas, endurecidas por el trabajo y el combate, que me desprendían la sal de la piel. Las muelas de los cangrejos me mordían los huesos, no me querían soltar, la hierba acuática se me había enredado en el pelo y se alimentaba de mi sangre. Los dedos lo quitaban todo salvajemente, como si estuvieran desollando a un animal y no les importara descuartizar el pellejo. Luego me tiraron una cubeta de agua helada, que cayó sobre mi piel como fuego líquido y limpió el resto de la sal.

Levántate, me decían. Arriba. Pero yo no podía, Dios y la muerte saben que no podía. Yo no era nadie, ni un objeto, ni siquiera un fantasma.

Trataron de darme puñaladas, pero de mis heridas solo salió arena y agua de mar. Me dispararon en la cuenca de los ojos, pero no pudieron sacarme de mi letargo. En vano buscaron la ubicación de mi espíritu, gastando palazos sobre mis huesos, pateando, mordisqueando, arrimándome tizones encendidos. No hubo respuesta, ni gritos, ni señales que permitieran afirmar que yo no era un cadáver.

Mi padre entraba y salía de mis pesadillas, dejando huellas de fuego plateado. Impaciente, adolorido, sombrío.

Estaba sentado en la costa, sobre un pedrusco azotado por olas espumosas. Machacando el esqueleto de los cangrejos con su calcañal, con sus dedos sólidos como la roca, escrutando el horizonte en busca de un signo que no se le revelaba.

—¡Despiértate ya! —gritó la voz, antes de que yo sintiera la patada en el estómago—. Se nota que estás bien vivo. Duermes como un borracho, no como un muerto.

—Casi todos se han ido, excepto tú, yo, y aquellos que te buscan.

—¿Por qué me querías matar?

—No podría matarte aunque quisiera. Por alguna razón que desconozco te tienen prohibido morir.

Traté de enderezarme para verlo mejor. Era un indio de piel quemada, de más tamaño y fortaleza que cualquiera que hubiera conocido antes. Sus manos, rústicas y sin uñas, estaban como cubiertas por una capa de polvo brillante. Lo acompañaba un perro tranquilo, de patas largas y membrudas.

—Probé con todo tipo de armas y también intenté asfixiarte. Pero nada te quitó el aliento. ¿Sabes si te queda algo por hacer en este mundo? ¿Entiendes quién te quiere aquí?

—No sé, pero tengo a quien preguntarle. ¿Me permitirás verlo?

El indio me cargó en sus espaldas, porque yo estaba demasiado débil para caminar, y me condujo a la costa. Había muchas naves ancladas en una bahía, carabelas gordas como monstruos de madera, que se dejaban llenar por miles de hombres.

Llevaban sobre sí, en cofres y carretas, todas las ciudades de la isla, no habían encontrado tierra para volverlas a fundar. Llevaban también sus difuntos, sus armas y sus palabras, almacenadas en el estómago de las naves.

—El peso de tantas maldiciones, de tanta sangre y cansancio acumulados, los devuelve al lugar de donde vinieron. A medida que nos abandonan comienzan a crecer, sobre los viejos arsenales, troncos recientes de cedros, caobas, ácanas, guayacanes y dagames. Su madera brota robusta y verde. El bosque ofrece otra vez olorosas piñas, anones, mameyes, cocos y papayas. El manjuarí vuelve a ser abundante y libre en las cañadas, los caimanes duermen y las jutías muerden en paz la hierba que les da alimento. El tabaco se quema según los antiguos ritos. En las paredes de nuestras cuevas ha vuelto a encajarse el cobre, y el oro —dijo, mirándose el fulgor de las manos— ha sido restaurado al fondo de los ríos.

Acarició la cabeza del mastín que tenía a su lado.

—Incluso el perro, que antes era obligado a correr y ladrar, es libre para guardar silencio.

—Hay hombres malditos que he ido encontrando en mi camino. Hombres que tampoco pueden morir y que han escupido sus hechizos sobre esta isla, ¿también ellos están en las entrañas de los barcos?

—No, a esos se los ha tragado la tierra, se han convertido en muertos de piedra y sal. Cumplieron la eternidad en que vivían y han entrado en el tiempo.

—¿Y tú? —pregunté— ¿Eres uno de los inmortales?

—No viviré por siempre, pero he presenciado todo el tiempo de la isla. He visto la sangre y las maldiciones de las que hablas, y comprendo el destino que pesa sobre ti. Pero queda muy poco para que llegue el fin, y no sé si seas capaz de enfrentarte a las cosas que aún te han sido reservadas.

—He venido de muy lejos buscando a un viejo pescador. Me han dicho que saca mundos del océano, que pesca montañas y ensarta su arpón en las cavernas como si fuera la boca de un animal gigante.

—Yo sé donde está el escondite de ese hombre —dijo el indio—. E iré contigo a buscarlo, pero no me pidas que le mire la cara. Todo el mundo le tiene miedo a esa cara.

Recordé los ojos de mi padre, sus pisadas blancas y flamígeras, su voz de hierro.

El indio me alimentó con frutas y carne de pescado. También me ofreció tabaco, envuelto como un mosquete, que me dio fuerza en el alma y vigor en la carne.

—Esa es la última ciudad que será recogida y almacenada en las naves.

Era una villa pequeña, que se iba desmantelando sola, con el auxilio de manos invisibles y el llanto de los espectros. Los muros, las cazuelas, la ropa blanca y apolillada, las llaves que no abrían ninguna cerradura, los pergaminos y tinteros, copones, patenas y báculos, una espada inmensa con puño de oro, un relicario. Todo iba recalando a los pies de un sencillo crucifijo de madera, clavado en la costa, donde algunos hombres de piel traslúcida inventariaban su cargamento.

El indio, su perro y yo entramos a la calle principal del pueblo. No había ya nadie sino los fantasmas, cada vez más transparentes, que besaban los muros a punto de abatirse sobre el polvo y las piedras. Una hierba mala, insistente, trepaba por las ruinas y apretaba fuerte hasta reducir el pueblo a los cimientos.

Cuando no quedó nada más que un pequeño cementerio, con lápidas podridas por la humedad, escuchamos el cántico de la procesión.

Primero vi a la mulata, escoltada por las nietas del viejo. Venía cojeando y con las rodillas ensangrentadas, y del bulto sucio que contenía los restos del veguero iba derramándose un hilo de cenizas. Las mujeres no se parecían a las que amé y toqué en Cabo Lagarto. Eran flacas y cetrinas, roídas por el viaje. Los machetes de los hombres eran sólo varillas de metal, gastados contra enredaderas y pedruscos para abrir camino. Incluso la muchedumbre de fantasmas y desesperados que los acompañaban era solo una niebla pálida, sin fuerzas. Solo me impresionó la sombra que los acompañaba, en el centro de la multitud, que era vigorosa y muy negra, como el fondo de un pozo.

Avanzaron hacia el centro del cementerio, donde se alzaba una columna funeraria, rota y mordisqueada por el musgo.

El indio lo miraba todo a mi lado, con serenidad, mientras que el perro estaba alerta, con el hocico afinado y la mandíbula tensa.

Una de las nietas del viejo se postró en la tierra y empezó a cavar un agujero al pie de la columna. Cuando se le gastaron las manos su hermana la reemplazó, con ayuda de una chaveta sin filo. La mulata se acercó al hoyo, avanzando de rodillas y gimiendo, y depositó el bulto dentro de las entrañas del cementerio.

Toda la procesión entonó un canto de dolor, que se confundía con las palabras de mi nombre y robustecía a la sombra condenada.

—Esto es lo que nos queda de él —clamó la mulata.

—Polvo y olvido.

—Maldito sea el que le arrebató el tiempo, el que lo convirtió en tierra seca.

—Polvo y olvido.

—Que su asesino se transforme en lo que hoy enterramos, que caiga sobre él nuestro destino.

—Polvo y olvido.

Dicho esto, las mujeres, los hombres y los espíritus dieron un grito espantoso que acabó de podrir todas las lápidas del camposanto, marchitó la hierba y ensució el aire que respirábamos. Vi a la muchedumbre iluminarse por un momento, como si la alumbraran con un candil sin combustible, y todos estallaron como había reventado el viejo, pulverizando sus cenizas sobre el fango del cementerio.

En su lugar quedó la sombra, que comenzó a avanzar hacia mí.

El perro intentó defenderme, pero cuando quiso morder a la sombra cayó exánime, apenas al tocarle la piel siniestra y gelatinosa. Corrimos el indio y yo, abriéndonos paso entre los fantasmas que ingresaban en hilera a las naves. La sombra caminaba con calma, dueña de todo el miedo del mundo, y yo me preguntaba si aquella no era la forma de mi muerte. Si la muerte no había esperado tanto solo para darse el gusto de este momento, de esta cacería implacable, con una fuerza a la que no era posible enfrentar.

Mientras corríamos, la villa entraba a la última de las carabelas. Quise avanzar hacia la máquina de madera, para refugiarme en el mar contra la persecución de la sombra. Pero el indio me lo impidió con un empujón. Ya estábamos en la costa, que se había oscurecido por una tormenta que comenzaba a barrer la suciedad del pueblo, los escombros y los huesos que nadie se quiso llevar.

No corría la sombra, su paso era quieto y firme sobre los adoquines.

La mano de polvo cobrizo del indio apuntó hacia el horizonte y cerró por un instante los ojos, como si entendiera la fatalidad de su último encargo en aquella isla. Con el mismo valor del perro, marchó hacia donde estaba la sombra y comenzó a apuñalarla con una daga de piedra, que entraba y salía de aquel cuerpo acuoso extrayendo sangre y lodo. El puño de metal golpeaba el doble de mi rostro, sin poderlo partir, sin poderle quitar de la mirada la saña y el odio de sus cuencas vacías.

Miré al horizonte, entré a la playa y comencé a nadar.

La sombra, que había dejado al indio destrozado, siguió caminando tranquila sobre la arena de la costa. Pero un lengüetazo de salitre le impidió avanzar. Trató una vez más de entrar al agua, pero el mar se lo fue comiendo, mientras yo nadaba como un desesperado buscando el horizonte, escapándome otra vez de la isla, con los brazos entumecidos por la corriente.

Cuando me detuve y miré hacia atrás, el océano se había tragado completamente la sombra que cargaba con mi rostro y mis maldiciones. El presagio de muchos se había cumplido. La muerte no era capaz de aniquilarme en el mar.

Seguí braceando durante muchas horas, libre del viejo, de mis muertos y de las palabras que había dejado en la costa, hacia el cayo breve y rocoso donde estaba mi padre.

Lo encontré encorvado sobre un peñasco, mirando el vaivén de las aguas. Todo en él era viejo menos sus ojos, y estos no eran plateados sino del mismo color del mar. Cuando escuchó mis palabras se levantó y me llevó al corazón del cayo: una caverna. Sus pasos no despedían fuego, y su voz era la de un hombre cansado. Allí brotaba de una piedra un manantial frío y burbujeante, de donde pude beber.

El viejo pescador no hablaba, sorbía el líquido de sus manos agrietadas y llenas de cicatrices.

—¿Qué viniste a buscar aquí? —me dijo después, con el agua goteando desde la barba blanca y mal cortada.

Me dolía el cuerpo pero sentía que el agua me aliviaba. Las palabras volvían a ensamblarse dentro de mi garganta, lúcidas, palpitantes y sólidas.

—La redención de mis muertos, las palabras que se me olvidaron, la memoria de lo que soy, de lo que tengo que hacer.

—Tú no tienes memoria. La memoria en ti es una cosa diferente.

Miraba fijo, sin pasión, desde sus pupilas glaucas y sombrías.

—¿Si yo no tengo memoria por qué te recuerdo a ti, por qué me persiguen tantos espectros, por qué tengo las manos embadurnadas con la sangre de tantos cuerpos?

—Cuando naciste, yo te di la libertad de olvidar, de caminar por muchos tiempos y eras, como si los siglos fueran un juego. Te di poder sobre la eternidad y la tierra, para que no te anclaras a nada. Vi la sombra con tu rostro que se disolvió cerca de aquí, en la costa. ¿Cómo fue que terminaste con tanta mala fortuna amarrada a tu espalda?

—Por culpa de mi inmortalidad muchos me maldijeron, y encontré a otros que al igual que yo le huían a su fin.

—Los conozco, también bebieron de este manantial. Vinieron a pedir más tiempo y les fue otorgado ese privilegio. Sin embargo, a todos los persiguió la muerte.

—Yo fui el instrumento de esa muerte.

—Ella se enamoró de ti, tomó la forma de muchas mujeres, les robó la voz y la voluntad a los hombres, disparó flechas y cañonazos a tu alrededor para que te asustaras y nunca te fueras. Te quiere afincado a esta tierra. Cada vez que la dejaste te borró los recuerdos e hizo que el mar te escupiera en la costa, para empezar a seducirte de nuevo.

Sentía una opresión muy fuerte en las entrañas, como si me apuñalara una tristeza desconocida, como si se hubiera marchitado algo dentro de mí.

—Estoy muy cansado, padre. Yo ya me quiero morir. Por primera vez me quiero morir. Siento en mi estómago la dureza de muchos siglos, que ya no puedo soportar.

—Tú venías buscando muchas respuestas, y yo lo único que puedo darte es un poco de agua y alimento, para que sigas caminando.

El sabor del agua en mi lengua se volvía alcalino, grumoso.

—No volveré a caminar, no tengo dónde. ¿No puedes pescar otra isla, no puedes sacarla del océano como hiciste con esta, para que vivamos tú y yo los años que nos quedan, conversando y mirando el mar? ¿No puedo vivir aquí, sin probar esta agua hechizada, hasta que me venga a buscar la muerte?

—El mar no es infinito y el número de islas que debían salir de él, como saurios inmensos, ya se ha consumido. Yo también estoy agotado y me duelen las manos. Mira —dijo, y me enseñó sus extremidades endurecidas por las redes y el trabajo—. Pronto me iré yo también. Quizás la muerte te tenga clemencia.

El viejo y yo volvimos al peñasco y vimos como las últimas montañas de la sierra se hundían en el mar, o eran las aguas las que iban lamiendo poco a poco la isla, hasta que disolvían las costas y se tragaban los bosques, los caminos, las especies de animales y todos los fantasmas que no habían tenido tiempo de partir en las naves.

—Tengo en las costillas el recuerdo de muchos muertos. Y ese recuerdo no se va. De nada le sirve a la muerte despojarme de todo. Frente a ti, con quien tanto soñé, a quien me trajeron las canciones de mi madre, cuya visión me dio fuerzas para llegar aquí, declaro que la muerte no puede robarme el peso de mi tiempo, ni el refugio de mi memoria, que es lo único que me queda después de tanta desgracia.

Cuando el mar se tragó el monte más alto de la isla y los últimos buitres tuvieron que salir volando hacia el horizonte, ya el viejo había desaparecido. Se escurrió, como los espectros de tierra firme, por las rendijas de las piedras. O quizás fue a beber de las aguas sagradas de donde yo había jurado no alimentarme nunca más. El océano enfilaba ahora su saña hacia el cayo donde estaba sentado, masticando una vez más las palabras de mi juramento. Las aguas subían con tranquilidad por la costa afilada del islote, sepultando las palmeras, las cabezas atentas de las tortugas, las algas espumosas y amargas. Penetraron también en la caverna donde estaba la fuente, para mezclar su corriente con la sal de los hombres que mueren, con la sangre y el plomo de los que agonizaron a cañonazos, con los huesos encostrados de monedas, óxido y metal. Inundaron el corazón de los árboles, la solidez de las piedras y el vientre de las conchas. Me bañaron los pies, como una caricia, como los ungüentos que elaboran los ancianos, treparon por mis rodillas, me limpiaron el cuerpo de toda suciedad, de toda herida, de todo maleficio. Reconocí en aquellas aguas el aliento tibio de la muerte, pronunciando mi nombre, el nombre que me dio mi padre, hace ya muchas eternidades, y que yo había olvidado. Era hermosa y guardaba en la piel el cariño tenebroso, embustero, de todos mis fantasmas. Le pedí perdón, sumergido en aquel abrazo profundo e inevitable, por habérmele escapado tantas veces. Correspondí a su beso opresivo, a sus manos que me despegaban el alma de los huesos, a su lamento de hembra despechada. Y ya no me atreví a abrir los ojos.

HERMAN MELVILLE

Bartleby, el escribiente

I.S.B.N.: 978-84-1337-779-7

Bartleby, el escribiente es una de las narraciones más originales y conmovedoras de la historia de la literatura. Nos cuenta la historia de un peculiar copista que trabaja en una oficina de Wall Street. Un día, de repente, deja de escribir, amparándose en su famosa fórmula: «Preferiría no hacerlo». Nadie sabe de dónde viene este escribiente, prefiere no decirlo, y su futuro es incierto, pues elige no hacer nada que altere su situación. El abogado, que es el narrador, no sabe cómo actuar ante esta rebeldía, pero al mismo tiempo se siente atraído por tan misteriosa actitud.